Ullstein Krimi

Ullstein Buch Nr. 10147
im Verlag Ullstein GmbH,
Frankfurt/M – Berlin – Wien
Der amerikanischen Originalausgabe
»The Simple Art
of Murder« entnommen
Übersetzt von Wilm W. Elwenspoek
im Verlag Ullstein GmbH,
Frankfurt/M – Berlin – Wien

Printed in Germany 1984
Umschlagentwurf:
Atelier Noth & Hauer, Berlin
Umschlaggraphik:
Welfhard Kraiker & Karin Szekessy
Druck und Verarbeitung:
Ebner Ulm
ISBN 3 548 100147 X

September 1984
83.–86. Tsd.

Vom selben Autor
in der Reihe der
Ullstein Bücher:

Die kleine Schwester (730)
Spanisches Blut (10242)
Erpresser schießen nicht (813)
Mord bei Regen (1195)
Mord aus dem Handgelenk (1200)
Der tiefe Schlaf (10226)
Einer weiß mehr (10025)
Professor Bingos Schnupfpulver (10119)
Das hohe Fenster (10146)

Raymond Chandler

Der König in Gelb

Kriminal-Stories

Ullstein Krimi

INHALTSVERZEICHNIS

EINFÜHRUNG

Vielleicht wird eines Tages ein Antiquar von einer ganz bestimmten Art auf den Gedanken kommen, daß es der Mühe wert sei, einmal die Stöße billiger Zeitschriften mit Kriminalstories durchzusehen, die zu Ende der zwanziger und zu Beginn der dreißiger Jahre großen Zuspruch fanden, und zu bestimmen versuchen, wie, wann und woraufhin wohl die damals beliebten Kriminalromane ihre feinen, guten Manieren ablegten und sich unters Volk mischten. Er wird scharfe Augen brauchen und einen aufgeschlossenen Verstand. Zeitungspapier hat nie auf Nachruhm spekuliert; heute ist der größte Teil davon vergilbt und hat eine schmutzigbraune Farbe angenommen. Und es erfordert tatsächlich einen sehr aufgeschlossenen Geist, um hinter die überflüssig grellen Umschläge, die ordinären, schundigen Titel und die kaum erträglichen Anzeigen zu sehen und die echte Kraft einer Art des Schreibens zu erkennen, neben der, selbst, wenn sie noch fein und geziert war, der größte Teil unserer gegenwärtigen Unterhaltungsliteratur wie lauwarmer Gesundheitstee in einem altjüngferlichen Salon erscheint.

Ich glaube nicht, daß diese Kraft ausschließlich das Ergebnis der Brutalität ist, obwohl in diesen Geschichten viel zu viele Personen umgebracht wurden und ihr gewaltsamer Tod mit einer zu weit gehenden Liebe für grausige Details gefeiert wurde. Ganz gewiß war es keine Frage des guten Stils, denn jeder Versuch in dieser Richtung wäre von den Herausgebern damals rücksichtslos herausgestrichen worden. Noch war es die besondere Originalität der Fabel oder der Charaktere. Meistens war die Handlung ziemlich gewöhnlich, und die meisten Figuren waren recht primitive Menschen. Vielleicht war es die Atmosphäre der Furcht, die diese Geschichten zu schaffen verstanden. Ihre Charaktere lebten in einer aus den Fugen geratenen Welt, in der lange vor der

Atombombe die Zivilisation eine Maschinerie zu ihrer eigenen Vernichtung geschaffen hatte und die sie mit dem gleichen kretinhaften Vergnügen, das ein Gangster empfinden mag, wenn er zum erstenmal eine neue Maschinenpistole ausprobiert, zu gebrauchen lernte. Recht, das war etwas, was man um des Gewinns oder der Macht willen manipulierte. Die Straßen wurden von etwas verfinstert, was dunkler als die Nacht war. Die Detektivgeschichte wurde in ihren Motiven und Figuren hart und zynisch. Aber weder in der Wirkung, die sie hervorzurufen beabsichtigte, noch in den Methoden, mit denen sie ihr Ziel erreichte, war sie zynisch. Ein paar außergewöhnliche Kritiker haben das damals auch entdeckt, und das war eigentlich alles, was man erwarten durfte. Der Durchschnittskritiker erkennt niemals eine Leistung, wenn sie vorgelegt wird. Er erklärt sie, wenn sie Anerkennung gefunden hat.

Die Gefühlsbasis der üblichen Detektivgeschichte war wie immer, daß der Mord gerächt wird und der Gerechtigkeit Genüge geschieht. Ihre technische Grundlage war die relative Bedeutungslosigkeit, die alles, außer der endgültigen Abrechnung, hatte. Was dazu führte, war mehr oder minder Beiwerk. Die Abrechnung rechtfertigte alles. Die technische Basis der Geschichten vom Typ der Schwarzen Maske bestand darin, daß die Szene die Handlung selbst verdrängte, in dem Sinne, daß eine Handlung gut war, wenn sie gute Szenen lieferte. Die ideale Kriminalgeschichte war eine, die man auch las, wenn der Schluß fehlte. Wir, die wir sie damals zu schreiben versuchten, nahmen den gleichen Standpunkt wie die Filmleute ein. Als ich zum erstenmal nach Hollywood kam, sagte mir ein sehr intelligenter Produzent, daß man aus einem Kriminalroman keinen guten Film machen könne, weil der Schwerpunkt der Enthüllung auf der Leinwand nur ein paar Sekunden dauern würde, und das gerade in der Zeit, wenn das Publikum schon nach seinen Hüten greift. Er irrte sich, aber nur deswegen, weil er an die falsche Art von Kriminalgeschichten dachte.

Was die Gefühlsbasis der harten, brutalen Kriminalgeschichten angeht, so glaubt sie offensichtlich nicht daran, daß Mord gerächt und der Gerechtigkeit Genüge geschehen wird, wenn nicht ein sehr ent-

schlossenes Individuum es sich zur Aufgabe macht, dem Recht zum Sieg zu verhelfen. Die Geschichten handelten von den Männern, die dafür sorgten. Das konnten nur harte Männer sein, und das, was sie taten, ob sie sich nun Polizisten, Privatdetektive oder Zeitungsreporter nannten, war harte, gefährliche Arbeit. Es war eine Arbeit, die sie ständig bekommen konnten. Sie war in Fülle vorhanden, und sie ist es immer noch. Zweifellos hatten die Geschichten über diese Dinge ein phantastisches Element. Aber diese Dinge geschahen; wenn auch weder so schnell noch in einem so eng begrenzten Personenkreis noch innerhalb so eng gezogener logischer Grenzen. Das aber war unvermeidlich, weil ständig Handlung gefordert wurde. Wenn man beim Schreiben innehielt, um nachzudenken, war man verloren. Wenn man Zweifel hatte, ließ man einen Mann mit einer Pistole in der Hand zur Tür hereinkommen. Es konnte dann ziemlich albern werden, aber irgendwie schien das nichts auszumachen. Ein Schriftsteller, der fürchtet, sich zu übernehmen, ist so wertlos wie ein General, der fürchtet, sich zu irren.

Wenn ich mir meine eigenen Geschichten von damals betrachte, wäre es natürlich absurd, wenn ich nicht wünschte, daß sie besser gewesen wären. Wenn sie aber viel besser gewesen wären, hätte sie kein Mensch gedruckt. Wenn die Formel damals weniger starr gewesen wäre, hätte vielleicht ein größerer Teil des damals Geschriebenen diese Zeit überlebt. Ein paar von uns haben sich große Mühe gegeben, die Formel zu durchbrechen, aber im allgemeinen wurden wir dabei erwischt und in unsere Grenzen zurückverwiesen. Die Grenzen der Formel zu durchstoßen, ohne sie zu zerstören, war der Traum jedes Schriftstellers, der Geschichten für Zeitschriften schrieb und kein hoffnungsloser Schmierer war. In meinen Geschichten gibt es Dinge, die ich gern ändern oder auch ganz weglassen möchte. Das erscheint vielleicht recht einfach, aber wenn man es versucht, stellt man fest, daß es nicht geht. Man zerstört nur, was gut ist, ohne eine merkliche Wirkung auf das zu erzielen, was schlecht ist. Man kann die Stimmung nicht wiederfinden, den Zustand der Unbefangenheit, noch viel weniger den animalischen Schwung, den man besaß, wenn man sonst auch nicht sehr viel hatte. Alles, was ein Schriftsteller über die Kunst oder das Handwerk des Geschichtenschreibens lernt, nimmt ihm etwas von seinem Drang oder seinem Wunsch, überhaupt zu schreiben. Am Ende kennt er schließlich alle Tricks, aber er hat nichts mehr zu sagen.

Was die literarische Qualität dieser Druckerzeugnisse angeht, darf ich aus den Ankündigungen eines angesehenen Verlages schließen, daß ich nicht unerträglich bescheiden zu sein brauche. Als Schriftsteller habe ich mich nie in jenem enormen Maß ernst nehmen können, das eines der am schwersten zu ertragenden Merkmale dieses Berufes ist. Und ich hatte das Glück, dem zu entkommen, was (vom „Punch" glaube ich) „jene Form des Snobismus, die die Unterhaltungsliteratur der Vergangenheit anerkennt, aber von der gegenwärtigen nur die aufklärende", genannt wurde. Zwischen dem einsilbigen Gemüt der Comic-Strips und den blutarmen Spitzfindigkeiten der Literaten liegt ein weites Feld, auf dem die Kriminalromane ein bedeutendes Wegzeichen sein können oder auch nicht. Es gibt Leute, die sie in jeder Form hassen. Es gibt Leute, die sie mögen, wenn sie nette Leute schildern. („Diese charmante Mrs. Jones! Wer hätte je gedacht, daß sie ihrem Mann mit dem Brotmesser die Kehle durchschneiden würde? Und er war doch ein so gut aussehender Mann!") Es gibt Leute, die glauben, daß Gewalt und Sadismus gleichbedeutend sind, und andere, die Kriminalromane für Afterliteratur halten, und das nur aus dem Grund, weil sie sich im allgemeinen nicht in Schachtelsätzen, schwieriger Interpunktion und hypothetischen Konjunktiven verhaspeln. Es gibt Leute, die Kriminalromane nur lesen, wenn sie müde oder krank sind, und nach der Zahl der Kriminalromane, die sie lesen, müssen sie meistens müde oder krank sein. Es gibt die Anhänger der logischen Schlußfolgerungen (mit denen ich mich an anderer Stelle auseinandergesetzt habe) und die Anhänger des Sex, die es nicht in ihre überhitzten kleinen Köpfe kriegen können, daß ein Romandetektiv ein Katalysator, aber kein Casanova ist. Die ersten verlangen einen Grundriß von Greythorpe Manor, auf dem das Arbeitszimmer, die Gewehrkammer, die Haupthalle, das Treppenhaus und der Gang zu dem finsteren, kleinen Raum, in dem der Butler, mit dünnen Lippen und schweigend auf das Murmeln des Untergangs lauschend, das georgianische Silber poliert, zu sehen ist. Die zweiten meinen, die kürzeste Verbindung zwischen zwei Punkten führe von einer Blondine in ein Bett.

Kein Schriftsteller kann alle zufriedenstellen; keiner sollte es versuchen. Die Geschichten in diesem Buch hatten sicher nicht geglaubt, daß sie, zehn Jahre, nachdem sie geschrieben worden waren, noch irgend jemandem gefallen könnten. Kriminalgeschichten sind eine Art Schriftstellerei, die nicht in dem Schatten der Vergangenheit verweilen darf, und der Verehrung der Klassiker schuldet sie wenig oder gar nichts. Es ist mehr als unwahrscheinlich, daß ein lebender Schriftsteller je einen besseren historischen Roman als „Henry Esmond", eine bessere Kindergeschichte als „Das goldene Zeitalter", einen schärferen sozialkritischen Roman als „Madame Bovary", eine anmutigere und elegantere Geistergeschichte als „The Spoils of Poynton", eine umfassendere und reichere Schilderung als „Krieg und Frieden" oder „Die Brüder Karamasow" schreiben wird. Aber eine einleuchtendere Detektivgeschichte als „Der Hund von Baskerville" oder „Der entführte Brief" zu ersinnen, sollte nicht zu schwierig sein. Heute wäre es eher schwieriger, das nicht zu tun. Es gibt keine Klassiker des Detektiv- und Kriminalromans. Nicht einen einzigen. Ein klassisches literarisches Werk ist innerhalb seines Rahmens, der der einzige ist, in dem es beurteilt werden sollte, eine Arbeit, die alle Möglichkeiten ihrer Form erschöpft hat und niemals übertroffen werden kann. Das hat noch keine Kriminalgeschichte und kein Detektivroman erreicht. Ein paar sind nahe herangekommen. Das ist einer der Hauptgründe, weshalb sonst durchaus vernünftige Leute auch weiterhin versuchen, die Zitadelle zu stürmen.

Raymond Chandler

DER KÖNIG IN GELB

I

George Millar, Empfangschef im Nachtdienst des Carlton-Hotels, war ein adretter, drahtiger kleiner Mann, mit der tiefen, leicht belegten Stimme eines Schlagersängers. Er sprach bewußt gedämpft, aber seine Augen funkelten ärgerlich, als er in das Telefon sagte: „Es tut mir außerordentlich leid. Es wird nicht wieder vorkommen. Ich schicke sofort jemanden."

Er legte den Hörer auf, trat schnell hinter der Wand aus undurchsichtigem Glas hervor und ging durch die Empfangshalle. Es war schon ein Uhr vorbei, und zwei Drittel der Bewohner des Carlton waren Dauergäste. In der Haupthalle, zu der drei flache Stufen führten, waren die Lichter zum Teil ausgeschaltet, und der Nachtportier war mit dem Aufräumen fertig. Der Raum war leer — ein weiter Saal mit undeutlich erkennbaren Möbeln und schweren Teppichen. Von fern war gedämpft Lautsprechermusik zu hören. Millar schritt die Stufen hinunter und ging mit eiligen Schritten auf das Geräusch zu, unter einem Bogen hindurch und blickte auf einen Mann, der auf einem blaßgrünen Diwan mit anscheinend allen Kissen des Hotels, die augenblicklich nicht anderweitig benötigt wurden, lag. Er ruhte mit träumerischen Augen auf der Seite und lauschte auf das zwei Meter von ihm entfernte Radio.

Millar bellte: „Heda! Bist du hier der Hausdetektiv oder der Hauskater?"

Steve Grayce drehte langsam den Kopf und sah Millar an. Er war ein großer schwarzhaariger Mann, etwa achtundzwanzig, mit tiefliegenden stillen Augen und einem recht freundlichen Mund. Er wies mit dem Daumen auf das Radio und lächelte. „King Leopardi, George. Hörst du die Trompete? Junge, dieser Ton. Weich wie Engelsflügel."

„Prächtig, aber jetzt fahre hinauf und schaffe ihn aus dem Korridor."

Steve Grayce war überrascht: „Was, schon wieder? Ich dachte, ich hätte diesen Vogel längst ins Bett gebracht." Er schwang seine Füße auf den Boden und stand auf. Er war mindestens einen Kopf größer als Millar.

„816 behauptet: nein. 816 behauptet, daß er mit zwei seiner Boys wieder draußen im Gang ist, er hat nichts außer gelbseidenen Shorts am Leib und veranstaltet mit den beiden Jungens eine Jamsession. Und eine dieser Amseln, die Quillan in 811 gelegt hat, tanzt dazu. Schaff sie in ihre Zimmer, Steve, und sorge diesmal dafür, daß sie endlich Ruhe halten."

Steve Grayce lächelte schief. „Leopardi gehört hier gar nicht her", meinte er mißvergnügt. „Soll ich Chloroform nehmen, oder genügt mein Totschläger?"

Mit langen Schritten ging er über den blaßgrünen Teppich, unter dem Bogen hindurch, durchquerte die Halle zu dem einzigen Fahrstuhl, der offenstand und noch beleuchtet war. Er schob die Tür zu, jagte in die achte Etage und trat in den Gang.

Der Lärm schlug ihm wie ein Windstoß entgegen. Die Wände hallten davon wider. Ein halbes Dutzend Türen waren geöffnet, und verärgerte Gäste in Nachtgewändern standen darin und sahen hinaus.

„Ich sorge für Ordnung, meine Herrschaften", kam Steve ihren Beschwerden zuvor. „Jetzt ist endgültig Schluß. Bitte keine Aufregung."

Er bog um die Ecke des Ganges, und die hektische Musik warf ihn beinahe um. Drei Männer standen neben einer offenen Tür, aus der Licht in den Gang fiel, an die Wand gelehnt. Der mittlere, der mit der Posaune, war ein Meter achtzig groß, kräftig und geschmeidig, mit einem dünnen zurückgestutzten Schnurrbart. Sein Gesicht war gerötet, und seine Augen hatten einen alkoholischen Schimmer. Er trug Shorts aus gelber Seide mit großen gestickten, schwarzen Initialen auf dem linken Bein — sonst nichts. Seine Haut war sonnengebräunt und glänzte.

Die zwei, die mit ihm spielten, waren in Pyjamas. Es waren die üblichen Tanzmusiker. Sie sahen annehmbar aus und waren beide angetrunken, wenn auch nicht sinnlos betrunken. Der eine quäkte wie irre auf einer Klarinette, und der andere tat auf einem Tenorsaxophon das gleiche.

Vor ihnen spreizte und wiegte sich und hopste wie eine Elster eine schimmernde Blondine hin und her. Sie bog ihre Arme und wölbte ihre Augenbrauen, drückte ihre Finger durch, daß ihre karminroten Nägel fast ihre Arme berührten, und jede ihrer Bewegungen entsprach ganz der Musik. Ihre Stimme war ein kehliges Kreischen und ohne jede Melodie, ihr Singen so falsch wie ihre Augenbrauen und so scharf und spitz wie ihre Fingernägel. Sie trug hochhackige Pantoffeln und einen schwarzen Pyjama mit einer langen purpurnen Schärpe.

Steve blieb starr stehen und machte mit der Hand eine scharfe Bewegung nach unten. „Schluß jetzt", befahl er. „Nun langt es. Hören Sie auf! Packen Sie endlich ein! Die Vorstellung ist aus. Verschwinden Sie, aber schnell!"

King Leopardi nahm die Posaune von den Lippen und grölte: „Tusch für den Hausdetektiv."

Die drei Betrunkenen bliesen grelle Töne, daß die Wände zitterten. Das Mädchen lachte närrisch und warf ein Bein hoch. Ihr Pantoffel flog auf Steve Grayce zu. Er fing ihn in der Luft auf, sprang auf das Mädchen zu und packte sie am Handgelenk.

„Wild, was?" grinste er. „Sie versorge ich zuerst."

„Auf ihn", grölte Leopardi. „Treffen Sie ihn tief! Hauen Sie ihm an den Hals."

Steve hob das Mädchen auf, nahm sie unter seinen Arm und lief. Er trug sie so leicht wie ein Paket. Sie versuchte, ihm gegen die Schienbeine zu treten. Er lachte und warf einen Seitenblick in die erleuchtete Tür. Ein Paar derbe braune Herrenschuhe lag unter einer Kommode. Er lief zu der nächsten offenen Tür, in sie hinein, stieß sie mit dem Fuß hinter sich zu und wendete sich so weit um, daß er den Schlüssel im Schloß drehen konnte. Fast im gleichen Moment ballerte eine Faust dagegen. Er beachtete es nicht.

Er schob das Mädchen durch den kurzen Vorraum, am Badezimmer vorbei, und ließ sie dann los. Sie stürzte von ihm fort, lehnte sich mit dem Rücken gegen eine Kommode, keuchend, mit wutflackernden Augen. Eine Locke feuchter goldgefärbter Haare hing ihr über ein Auge. Sie schüttelte wild den Kopf und zeigte ihre Zähne.

„Wollen Sie hier hinausgesetzt werden, Fräulein?"

„Gehen Sie zum Teufel." Sie spuckte nach ihm. „Ich bin mit dem King befreundet, verstehen Sie? Lassen Sie ja Ihre Pfoten von mir, Sie Schnüffler."

„Reisen Sie mit der Kapelle?"

Sie spuckte noch einmal nach ihm.

„Woher wissen Sie, daß die Musiker hier wohnen?"

Quer über das Doppelbett ausgestreckt lag noch ein Mädchen. Den Kopf an der Wand, wirres schwarzes Haar über dem blassen Gesicht. An dem einen Bein ihrer Pyjamahose war ein langer Riß. Sie lag schlaff da und stöhnte.

Grob sagte Steve: „Sieh mal an. Der Trick mit dem zerrissenen Pyjama. Kommt bei uns nicht an, Puppe, kommt hier ganz falsch an. Und nun hört zu, Kinder. Ihr könnt schlafen gehen und bis morgen früh bleiben, oder ihr verschwindet gleich. Entscheidet euch!"

Die Schwarzhaarige stöhnte. Die Blonde sagte: „'raus aus meinem Zimmer, verdammter Schleicher."

Sie griff hinter sich und schleuderte einen Handspiegel nach ihm. Steve duckte sich. Der Spiegel knallte gegen die Wand und fiel, ohne zu zerbrechen, zu Boden. Das schwarzhaarige Mädchen wälzte sich auf dem Bett herum und stöhnte gequält: „Lassen Sie mich in Ruhe, ich bin krank." Ihre Lider über den geschlossenen Augen flatterten.

Die Blonde schwenkte ihre Kurven quer durch das Zimmer zu dem Schreibtisch am Fenster, goß sich ein Wasserglas halb voll Scotch und gurgelte ihn hinunter, ehe Steve bei ihr war. Sie hustete heftig, ließ das Glas fallen, sank auf ihre Hände und Knie.

Grimmig sagte Steve: „Das wirft Sie jetzt völlig um, Puppe."

Das Mädchen kroch in sich zusammen, schüttelte den Kopf. Sie würgte einmal, hob die karminfarbenen Nägel, um die Hand gegen den Mund zu pressen. Sie versuchte aufzustehen, aber ihr Fuß rutschte unter ihr weg, und sie rollte auf die Seite und schlief sofort.

Steve seufzte. Er ging zum Fenster und schloß es. Er rollte die Schwarzhaarige herum, streckte sie der Länge nach auf dem Bett aus, zog die Bettdecke unter ihr hervor und schob ihr ein Kissen unter den Kopf. Er hob die Blonde vom Boden hoch, ließ sie neben die Schwarze unsanft auf das Bett fallen und deckte beide bis zum Kinn zu. Er öffnete das Oberlichtfenster, schaltete die Deckenbeleuchtung aus und öffnete die Tür. Von außen verschloß er sie mit seinem Hauptschlüssel.

„Hotelarbeit", murmelte er mißmutig. „Widerlich!" Der Korridor war jetzt leer. Eine beleuchtete Tür stand immer noch offen. Die Zimmernummer war 815, die übernächste Tür von dem Zimmer, in dem die Mädchen lagen. Gedämpfte Posaunentöne drangen auf den Gang, aber für ein Uhr vierundzwanzig in der Nacht war es viel zu laut.

Steve Grayce trat in das Zimmer, stieß die Tür mit einer Schulterbewegung hinter sich zu, ging an dem Badezimmer vorbei. King Leopardi war allein in dem Zimmer.

Der Musiker lag bequem in einem tiefen Sessel ausgestreckt, ein hohes beschlagenes Glas neben seinem Ellenbogen. Er schwang die Posaune in einem engen Kreis, während er spielte, und die reflektierten Lichter tanzten auf dem schimmernden Instrument.

Steve zündete sich eine Zigarette an, stieß eine Rauchwolke aus und starrte mit einem seltsamen, halb bewundernden, halb verächtlichen Ausdruck durch sie auf Leopardi. Leise sagte er: „Licht aus, Gelbhose. Sie spielen großartig Trompete, und Ihre Posaune ist auch nicht schlecht. Aber das können wir hier nicht brauchen. Ich habe es Ihnen schon einmal gesagt. Schluß jetzt! Legen Sie das Ding weg!"

Leopardi lächelte gehässig und blies eine stotternde Tonfolge, die wie das Gelächter des Teufels klang.

„Das sagen Sie!" höhnte er. „Leopardi tut, was er will, wo er will und wann er will. Daran hat ihn noch keiner hindern können, Schleicher. Verschwinden Sie!"

Steve hob die Schultern und trat näher an den großen dunklen Mann. Geduldig sagte er: „Tun Sie die Röhre da weg, Großer. Die Leute hier wollen schlafen. Die sind darin komisch. Auf dem Podium mit Ihrer Kapelle sind Sie was Besonderes. Überall sonst sind Sie nur irgendeiner mit viel Zaster und einem persönlichen Ruf, der von hier bis Miami und zurück stinkt. Ich habe meine Arbeit hier, und die tue ich. Wenn Sie noch einen Ton blasen, wickele ich Ihnen das Ding da um den Hals."

Leopardi ließ die Posaune sinken und nahm einen langen Zug aus dem Glas. Seine Augen funkelten bösartig. Er hob die Posaune wieder an die Lippen, holte tief Luft und blies einen Ton, der die Wände erschüttern ließ. Dann stand er sehr plötzlich und gewandt auf und schlug das Instrument Steve auf den Kopf.

„Hoteldetektive sind der letzte Dreck. Sie stinken wie öffentliche Klos", höhnte er.

Steve trat einen kurzen Schritt zurück und schüttelte den Kopf. Er lauerte, glitt auf einem Fuß vorwärts und schlug Leopardi mit der flachen Hand ins Gesicht. Der Schlag sah leicht aus, aber Leopardi taumelte quer durch das ganze Zimmer und stürzte am Fußende des Bettes hin. Er saß auf dem Boden, sein rechter Arm hing über einen offenstehenden Koffer ausgestreckt.

Einen Augenblick bewegte sich keiner der Männer. Dann beförderte Steve die Posaune mit einem Fußtritt zur Seite und drückte seine Zigarette in einem gläsernen Aschenbecher aus. Seine schwarzen Augen waren ausdruckslos, aber um seinen Mund stand ein blasses Grinsen.

„Wenn Sie Ärger haben wollen", sagte er, „wo ich herkomme, da wird er fabriziert."

Leopardi lächelte dünn, gespannt. Er zog seine rechte Hand aus dem Koffer. Sie hielt eine Pistole. Sein Daumen drückte klickend den Sicherheitsflügel herum. Er hob ruhig die Waffe und zielte.

„Machen Sie dagegen etwas", sagte er und schoß. Der scharfe Knall der Waffe dröhnte in dem geschlossenen Raum ungeheuer. Der Spiegel über der Kommode splitterte, Glassplitter flogen umher. Einer riß wie eine Rasierklinge Steves Wange auf. Das Blut lief in einem schmalen, dünnen Streifen zu seinem Kinn.

Er machte einen Hechtsprung. Seine rechte Schulter krachte gegen Leopardis nackte Brust, seine linke Hand schlug ihm die Waffe aus der Hand und beförderte sie unter das Bett. Er rollte sich schnell nach rechts und landete auf seinem Knie.

Rauh und scharf sagte er: „Sie haben sich den Falschen ausgesucht."

Er drang auf Leopardi ein, packte ihn an den Haaren und riß ihn mit ganzer Kraft hoch auf die Füße. Leopardi schrie gellend und traf ihn zweimal gegen das Kinn. Aber Steve grinste nur, hielt mit der linken Hand den Musiker an seinen langen straffen Haaren gepackt und drehte ihm den Kopf herum. Leopardis dritter Schlag landete auf Steves Schulter. Steve packte Leopardis Handgelenk, drehte es um, und stöhnend ging der Musiker in die Knie. Steve zerrte ihn wieder an den Haaren hoch, ließ das Handgelenk los und versetzte ihm drei wuchtige knappe Schläge in die Magengrube. Er ließ die Haare fahren und schlug ein viertes Mal zu, wobei seine Faust fast bis zum Handgelenk dem Musiker in den Leib fuhr.

Leopardi sackte kraftlos auf die Knie und übergab sich.

Steve trat von ihm zurück, ging in das Badezimmer, riß ein Handtuch vom Haken. Er warf es Leopardi zu, zerrte den offenen Koffer an das Bett und begann Gegenstände hineinzuwerfen.

Leopardi wischte sich über das Gesicht und erhob sich, immer noch würgend. Er taumelte und stützte sich an der Kommode. Er war weiß wie das Handtuch.

Steve Grayce sagte: „Ziehen Sie sich an, Leopardi, oder Sie gehen, wie Sie sind. Mir ist es gleichgültig."

Taumelnd tastete sich Leopardi wie ein Blinder an den Wänden entlang ins Badezimmer.

II

Millar stand regungslos erstarrt hinter dem Empfangstisch, als sich der Fahrstuhl öffnete. Sein Gesicht war weiß und erschrocken, und sein kurzgestutzter schwarzer Schnurrbart stand als ein formloser verzerrter Fleck auf seiner Oberlippe. Leopardi trat zuerst aus dem Fahrstuhl, einen Schal um den Hals, einen leichten Mantel über den Arm geworfen, den Hut schief auf dem Kopf. Er ging mit steifen Schritten, etwas vorgebeugt, mit leerem Blick. Sein Gesicht war grünlich bleich.

Steve Grayce kam hinter ihm und trug einen Koffer, und Karl, der Nachtportier, folgte ihm mit zwei weiteren Koffern und zwei Instrumentenfutteralen aus schwarzem Leder. Steve kam an den Empfangstisch und sagte rauh: „Mister Leopardis Rechnung, falls etwas zu bezahlen ist. Er zieht aus."

Millar starrte ihn mit geweiteten Augen über die marmorne Tischplatte an. „Ich — ich glaube nicht, Steve", sagte er etwas mühsam.

„In Ordnung. Das dachte ich auch."

Leopardi lächelte sehr dünn und unangenehm und schritt durch die messinggerahmte Pendeltür, die der Portier ihm aufhielt. Am Taxistand warteten zwei Wagen hintereinander. Der erste schaltete Licht ein, fuhr an der Auffahrt vor, und der Portier verstaute Leopardis Gepäck. Leopardi stieg in das Taxi und beugte seinen Kopf durch das offene Fenster. Langsam und rauh sagte er: „Sie tun mir leid, Schleicher, wirklich leid."

Steve Grayce trat zurück und sah ihn hölzern an. Das Taxi fuhr an, bog um eine Ecke und war verschwunden.

Steve drehte sich auf dem Absatz um, zog einen viertel Dollar aus der Tasche und ließ ihn durch die Luft wirbeln. Er klatschte ihn dem Nachtportier in die Hand.

„Von dem King", sagte er. „Heben Sie ihn auf, damit Sie ihn Ihren Enkeln mal zeigen können."

Er kehrte in das Hotel zurück, ging, ohne Millar anzusehen, zum Fahrstuhl, fuhr wieder in den achten Stock und schritt durch den Gang. Mit seinem Hauptschlüssel öffnete er die Tür zu Leopardis Zimmer. Er verschloß sie von innen, zog das Bett von der Wand und bückte sich. Er hob die Zweiunddreißiger Pistole auf, steckte sie in die Tasche und suchte den Boden nach der ausgeworfenen Patronenhülse ab. Sie lag neben dem Papierkorb. Er beugte sich nieder, um sie aufzuheben, blieb in gebückter Haltung hocken und starrte in den Papierkorb. Seine Lippen preßten sich zusammen. Er hob die Patronenhülse auf, ließ sie achtlos in seine Tasche gleiten und griff dann mit suchenden Fingern in den Papierkorb, hob einen Papierfetzen hoch, auf den ein Stückchen Zeitung geklebt war. Dann nahm er den Papierkorb, schob das Bett an die Wand zurück und leerte den Inhalt des Papierkorbes darauf aus.

Aus dem Mischmasch von zerrissenem Papier und Streichhölzern fischte er alle Stücke heraus, auf die Zeitung aufgeklebt war. Damit ging er zum Schreibtisch und setzte sich. Ein paar Minuten später hatte er die Fetzen wie ein Puzzlespiel zusammengesetzt und konnte die Botschaft lesen, deren einzelne Wörter und Buchstaben aus Zeitschriften und Zeitungen ausgeschnitten und auf das Blatt geklebt worden waren:

„Zehntausend bis Donnerstag abend, Leopardi, dem Tag, nach dem Sie im Shalotte Club anfangen. Sonst ist es aus. Von Ihrem Bruder."

„Soso", sagte Steve Grayce. Er steckte die Fetzen in einen Hotelumschlag, schob ihn in seine Innentasche und zündete sich eine Zigarette an. „Der Kerl hat Mumm", murmelte er, „das muß man ihm lassen — und Trompete blasen kann er auch."

Er verschloß das Zimmer, stand lauschend einen Augenblick in dem jetzt stillen Korridor und ging dann zu dem Zimmer, in dem die beiden Mädchen wohnten. Er klopfte leise und legte sein Ohr an die Türfüllung. Ein Stuhl knirschte, und Schritte kamen zur Tür.

„Was ist?" Es war nicht die Stimme der Blonden.

„Ich bin der Hausdetektiv. Ich muß Sie einen Augenblick sprechen."

„Sie sprechen ja mit mir."

„Ohne eine Tür dazwischen, Fräulein."

„Sie haben einen Hauptschlüssel. Helfen Sie sich selbst."

Die Schritte entfernten sich. Er schloß sich die Tür auf, trat ruhig ein und drückte sie hinter sich zu. Eine Lampe mit einem gefältelten Schirm auf dem Schreibtisch gab gedämpftes Licht. Die Blonde lag auf dem Bett und schnarchte, eine Hand in ihr leuchtendes, metallisches Haar gewühlt. Das schwarzhaarige Mädchen saß in dem Sessel neben dem Fenster, den linken Fuß auf dem rechten Knie, wie Männer manchmal sitzen, und sah Steve mit leeren Blicken entgegen.

Er trat dicht an sie heran, deutete auf den langen Riß in ihrer Pyjamahose und sagte gedämpft: „Sie sind nicht krank. Sie waren auch nicht betrunken. Der Riß da ist schon sehr alt. Was soll das Ganze? Ein Versuch, den King auszunehmen?"

Das Mädchen starrte ihn kühl an, paffte an ihrer Zigarette und antwortete nichts.

„Er ist ausgezogen", sagte Steve. „In der Richtung ist also nichts mehr zu wollen, Puppe." Er beobachtete sie wie ein Falke, seine dunklen Augen hart und fest auf sie gerichtet.

„Von Hoteldetektiven wird mir immer übel", sagte das Mädchen mit plötzlicher Wut. Sie sprang auf, ging an ihm vorbei ins Badezimmer, schloß und verriegelte die Tür hinter sich.

Steve zuckte mit den Schultern, fühlte dem schlafenden Mädchen im Bett den Puls. Ein schleppender, träger Puls von zuviel Alkohol.

„Arme lausige Amseln", sagte er vor sich hin.

Sein Blick fiel auf eine große rote Tasche, die auf der Kommode stand. Er hob sie mit einer Hand hoch und ließ sie wieder fallen. Sein Gesicht war wieder hart. Die Tasche fiel mit einem schweren, dumpfen Schlag auf die Glasplatte, als ob ein Klumpen Blei darin wäre. Er öffnete sie schnell und schob seine Hand hinein. Seine Finger berührten das kalte Metall einer Waffe. Er öffnete die Tasche weit und sah eine kleine automatische Pistole. Daneben lag ein zusammengefaltetes weißes Papier. Er zog es heraus und hielt es ins Licht – eine Mietquittung mit Name und Adresse. Er schob sie in seine Tasche, schnappte die Handtasche zu, und als das Mädchen wieder aus dem Badezimmer kam, stand er am Fenster.

„Was wollen Sie hier noch?" fuhr sie ihn an. „Wissen Sie, was Hoteldetektiven passiert, die mit ihrem Hauptschlüssel nachts in die Schlafzimmer von Damen eindringen?"

„Ja", antwortete Steve gleichgültig. „Sie bekommen Schwierigkeiten. Vielleicht wird sogar auf sie geschossen."

Das Gesicht des Mädchens spannte sich, ihre Augen wichen von ihm ab und spähten zu der roten Handtasche hinüber. Steve sah sie unentwegt an. „Kannten Sie Leopardi in Frisko?" fragte er. „Hier hat er seit zwei Jahren nicht mehr gespielt. Damals war er ein Trompeter wie viele andere in der Kapelle von Vane Utigore, einer billigen Band."

Das Mädchen kräuselte die Lippen, ging an ihm vorbei und setzte sich wieder ans Fenster. Ihr Gesicht war blaß und starr. Trübe sagte sie: „Blossom kannte ihn. Die Blonde auf dem Bett, das ist Blossom."

„Wußten Sie, daß er heute nacht in dieses Hotel kommt?"

„Was geht Sie das an?"

„Ich kann mir nicht erklären, wieso er überhaupt zu uns gekommen ist", sagte Steve nachdenklich. „Wir sind ein stilles Haus. Darum kann ich mir nicht vorstellen, daß jemand ausgerechnet hier versucht, bei ihm zu landen."

„Denken Sie woanders darüber nach. Ich brauche endlich meinen Schlaf."

Steve antwortete: „Schlafen Sie gut, Sweetheart, und schließen Sie Ihre Tür ab."

Ein dünner Mann mit dünnem blondem Haar und einem dünnen Gesicht stand neben dem Empfangstisch und trommelte mit dünnen Fingern auf den Marmor. Millar stand immer noch hinter dem Tisch und sah immer noch blaß und verstört aus. Der dünne Mann trug einen dunkelgrauen Anzug und einen Schal unter dem Kragen seiner Jacke. Er sah aus, als ob er unmittelbar aus seinem Bett käme. Er wandte seine seegrünen Augen langsam Steve zu, als der Hausdetektiv aus dem Fahrstuhl trat, und wartete, bis Steve an den Empfangstisch herangekommen war und einen Schlüssel mit einem Nummernschild auf die Platte fallen gelassen hatte.

Steve sagte: „Leopardis Schlüssel, George. In dem Zimmer ist ein Spiegel kaputt, und sein Abendessen liegt auf dem Teppich, zum größten Teil Scotch." Er wandte sich an den dünnen Mann. „Wollten Sie mich sprechen, Mister Peters?"

„Was ist vorgefallen, Grayce?" Der dünne Mann hatte eine scharfe Stimme, die erwartete, daß sie angelogen wurde.

„Leopardi und zwei seiner Jungens lagen im achten Stock, der Rest der Kapelle im fünften. Die im fünften Stock gingen schlafen. Einem Paar offensichtlicher Amseln ist es gelungen, ein Zimmer fast unmittelbar neben Leopardi zu bekommen. Es gelang ihnen auch, bei Leopardi Anschluß zu finden, und zusammen veranstalteten sie im

Gang eine spaßige Party. Allerdings ging es verdammt laut dabei zu. Ich konnte den Lärm nur beenden, indem ich etwas energisch wurde."

„An Ihrem Gesicht ist Blut", sagte Peters kalt. „Wischen Sie es fort."

Steve rieb mit seinem Taschentuch über seine Wange. Der dünne Blutfaden war getrocknet. „Ich schaffte die Mädchen in ihr Zimmer", sagte er. „Die beiden Musiker begriffen von selbst und verschwanden, aber Leopardi glaubte immer noch, die Gäste wollten ihn Posaune blasen hören. Er drohte, mir das Instrument um den Hals zu wickeln, und schlug mir damit auf den Kopf. Ich gab ihm eine Ohrfeige. Darauf zog er eine Waffe und schoß auf mich. Hier ist die Waffe." Er nahm die Zweiunddreißiger aus seiner Tasche und legte sie auf den Empfangstisch. Die leere Patronenhülse legte er daneben. „Deshalb verprügelte ich ihn, bis er wieder vernünftig wurde, und warf ihn dann hinaus", fügte er hinzu.

Peters klopfte auf den Marmor. „Sie haben also wieder einmal Ihren üblichen Takt unter Beweis gestellt."

Steve starrte ihn an. „Er hat auf mich geschossen", wiederholte er schnell. „Mit einer Pistole. Mit dieser Pistole hier. Ich bin gegen Kugeln empfindlich. Er schoß vorbei. Aber angenommen, er hätte mich getroffen. Mir gefällt mein Magen so, wie er ist. Mit *einem* Eingang und *einem* Ausgang."

Peters zog seine lohfarbenen Augenbrauen zusammen. Er sagte sehr höflich: „Sie sind bei uns hier als Nachtdienst angestellt, weil wir die Bezeichnung Hausdetektiv nicht schätzen. Aber weder Nachtdienste noch Hausdetektive setzen Gäste aus dem Hotel heraus, ohne mich vorher zu befragen. Niemals, Mister Grayce."

Steve antwortete: „Der Kerl hat auf mich geschossen, alter Freund. Mit einer Pistole. Begreifen Sie doch! Das brauche ich nicht widerspruchslos hinzunehmen, oder doch?" Sein Gesicht war etwas blaß geworden.

Peters fügte hinzu. „Ein anderer Punkt zu Ihrer Beachtung. Die Hauptanteile an diesem Hotel sind im Besitz von Mister Halsey G. Walters. Mister Walters besitzt auch den Club Shalotte, wo King Leopardi am Mittwoch sein Gastspiel beginnt. Und aus diesem Grunde war Mister Leopardi gütig genug, bei uns zu wohnen. Wissen Sie irgend etwas, was Sie Ihrerseits dazu sagen können?"

„Ja, ich bin entlassen", sagte Steve ohne Heiterkeit.

„Sehr richtig, Mister Grayce. Gute Nacht, Mister Grayce."

Der dünne blonde Mann ging zu dem Fahrstuhl, und der Nachtportier fuhr ihn hinauf. Steve sah Millar an.

„Jumbo Walters, soso", sagte er leise. „Ein harter, raffinierter Bursche. Viel zu gerissen, um zu glauben, daß der Stall hier und der Club Shalotte von der gleichen Art Gäste besucht wird. Hat Peters an Leopardi geschrieben, er solle hier wohnen?"

„Das vermute ich, Steve." Millars Stimme war leise und düster.

„Warum hat Leopardi dann nicht ein Turmapartment mit einem privaten Balkon bekommen, für achtundzwanzig Dollars am Tag, wo er tanzen kann, wenn ihm danach ist? Warum wurde er auf eine stille Etage in der mittleren Preislage gelegt, und warum hat Quillan diese Amseln dicht neben ihm untergebracht?"

Millar fingerte an seinem schwarzen Schnurrbart. „Sparsam mit dem Geld — aber nicht mit dem Scotch, vermutlich. Von den beiden Mädchen weiß ich nichts."

Steve klatschte mit der flachen Hand auf die Marmorplatte. „Ich werde also hinausgeworfen, weil ich nicht zugelassen habe, daß ein Trunkenbold den achten Stock zu einem öffentlichen Haus macht und als Schießbude benutzt. Wahnsinn! Trotzdem, ich werde den Stall vermissen."

„Ich werde dich auch vermissen, Steve", sagte Millar aufrichtig, „wenn auch erst in einer Woche. Ich nehme ab morgen eine Woche Urlaub. Mein Bruder hat eine Hütte bei Crestline."

„Ich wußte gar nicht, daß du einen Bruder hast", sagte Steve abwesend. Er öffnete und schloß seine Faust auf der Marmorplatte des Empfangstisches.

„Er kommt nicht oft in die Stadt. Ein großartiger Bursche. War mal Boxer."

Steve nickte und richtete sich auf. „Nun, ich kann ebensogut meinen

Nachtdienst zu Ende bringen", sagte er, „aber lang, auf dem Rücken. Schließ die Waffe da irgendwo ein, George."

Er grinste kalt und ging über die Stufen in die kaum erleuchtete Haupthalle hinunter und in das Zimmer, wo das Radio stand. Er klopfte die Kissen auf dem blaßgrünen Diwan auf, griff dann plötzlich in die Tasche und zog das Blatt Papier heraus, das er aus der roten Handtasche der Schwarzhaarigen genommen hatte. Es war eine Mietquittung für eine Woche, ausgestellt für Miss Marylin Delorme, Apartment 211, Ridgeland Apartments, 118, Court Street.

Er steckte die Quittung in seine Brieftasche und blieb mit starrem Blick vor dem stillen Radio stehen. „Ich glaube fast, du hast einen anderen Job, Steve", sagte er leise für sich. „An dieser Geschichte stinkt doch irgend etwas."

Er ging in die in die Wand eingelassene Telefonzelle in der Ecke des Raumes, warf eine Münze in den Apparat und wählte die Nummer eines Rundfunksenders. Er mußte viermal wählen, ehe der Anschluß des Nachtprogrammansagers frei war.

„Können Sie King Leopardis Platte mit ‚Solitude' nicht noch mal spielen?" fragte er.

„Ich habe noch einen Haufen anderer Wünsche vorliegen, und außerdem habe ich sie schon zweimal laufen lassen. Wer ist denn dort?"

„Steve Grayce, Nachtdienst im Carlton-Hotel."

„Sieh da, ein nüchterner Mann bei der Arbeit. So was gibt's. Für Sie alles, alter Junge."

Steve kehrte zu dem Diwan zurück, stellte das Radio ein und legte sich, die Hände hinter dem Kopf gefaltet, auf den Rücken.

Zehn Minuten später erklangen leise die hohen, durchdringend sanften, weichen Trompetentöne King Leopardis aus dem Radio, fast zu einem Wispern gedämpft, und er hielt das E über dem hohen C unglaublich lang.

„Fabelhaft", knurrte Steve bewundernd, als die Platte zu Ende war. „Der Bursche kann spielen . . . Vielleicht war ich doch zu grob mit ihm."

III

Court Street war Altstadt, Italienerviertel, Gaunerviertel, Künstlerviertel. Sie lag auf dem Gipfel von Bunkerhill, und man konnte dort alles finden, angefangen bei heruntergekommenen ehemaligen Bewohnern von Greenwich Village über sich versteckende Ganoven und hingabefreudige Damen bis zu Fürsorgeempfängern, die sich alle mit ausgemergelten Wirtinnen in großspurigen alten Häusern mit verschnörkelten Veranden, Parkettfußböden und weitschweifigen Treppengeländern aus heller Eiche, Mahagoni oder kaukasischem Nußbaum herumzankten.

Es war einmal ein hübsches Viertel gewesen, Bunkerhill, und aus diesen Tagen stammte noch die komische kleine Seilbahn, die auf einem gelben Lehmdamm von der Hill Street hinauf- und herunterkroch. Es war Nachmittag, als Steve Grayce oben als einziger Passagier aus dem Wagen stieg. Er ging durch die Sonne, ein großer, breitschultriger, gelenkiger Mann in einem gutgeschnittenen blauen Anzug.

In der Court Street wandte er sich nach Westen und begann auf die Hausnummern zu achten. Die Nummer, die er suchte, war zwei Häuser von einer Ecke entfernt, gegenüber von einem Bestattungsinstitut aus roten Ziegeln und mit einem Schild mit goldener Schrift: *Paolo Perrugini–Bestattungsinstitut.* Ein dunkelhäutiger, eisengrauer Italiener in einem Cutaway stand vor der von einer Gardine verhüllten Glastür des roten Ziegelgebäudes, rauchte eine Zigarre und wartete darauf, daß jemand starb.

1–18 war ein drei Stockwerke hohes Apartmenthaus. Es hatte eine Glastür, die von einem schmutzigen Netzvorhang gut verdeckt war, einen vierzig Zentimeter breiten Läufer in der Halle, verblichene Türen, auf die mit verblichener Farbe Ziffern gemalt waren, und eine Treppe im Hintergrund. Die Messingstreben des Treppengeländers schimmerten im Dämmerlicht des Hausflurs.

Steve Grayce stieg die Treppe hinauf und schlenderte durch den Gang zum Vorderteil des Hauses zurück. Apartment 211, wo Miss Marylin Delorme wohnte, war das rechte an der Vorderseite. Er klopfte leicht gegen die Tür, wartete, klopfte wieder. Nichts regte sich, weder hinter der schweigenden Tür noch in dem Gang. Aber hinter einer anderen Tür auf der anderen Seite begann jemand zu husten und hustete ununterbrochen weiter.

Im Halbdunkel des Ganges wunderte Steve Grayce sich, warum er überhaupt gekommen war. Miss Delorme hatte eine Waffe bei sich gehabt. Leopardi hatte eine Art Drohbrief erhalten, ihn zerrissen und fortgeworfen. Miss Delorme hatte das Carlton etwa eine Stunde, nachdem Steve ihr gesagt hatte, daß Leopardi ausgezogen war, verlassen. Aber nur daraufhin — ?

Er zog eine lederne Schlüsseltasche heraus und betrachtete prüfend das Schloß. Er versuchte einen Dietrich — er faßte, und Steve trat leise in das Zimmer. Er drückte die Tür hinter sich zu, aber von innen faßte der Dietrich nicht, um abzuschließen.

Der Raum war düster, die Sonnenblenden an beiden Fenstern zugezogen. Es roch dumpf nach Puder. Die Möbel waren hell gestrichen, ein Doppelklappbett war heruntergelassen. Auf der Decke lag eine Zeitschrift. Auf einem Stuhl neben dem Bett stand ein gläserner Aschenbecher voller Stummel, eine zur Hälfte gefüllte kleine Flasche Whisky und ein Glas. Zwei Kissen, die als Rückenstütze benutzt worden waren, lagen, in der Mitte noch zusammengedrückt, auf dem Bett.

Auf dem Toilettentisch war eine Toilettengarnitur, weder billig noch teuer, ein Kamm mit schwarzen Haaren darin, eine Schale mit Manikürutensilien, reichlich verstreuter Puder. Im Badezimmer fand sich nichts. In einem Schrank hinter dem Bett hingen viele Kleider und standen zwei Koffer. Die Schuhe waren alle gleicher Größe.

Steve stand neben dem Bett und kniff sich ins Kinn. „Blossom, die spuckende Blondine, wohnt also nicht hier", murmelte er nachdenklich. „Nur die dunkle Marylin mit der zerrissenen Pyjamahose."

Er trat noch einmal zu dem Toilettentisch und zog die Schubladen auf. In der untersten, unter einem Stück Tapete, mit der sie ausgelegt war, fand er eine Schachtel mit Kupfernickel-Patronen für eine Fünfundzwanziger Pistole. Er stocherte in den Zigarettenstummeln. An allen war Lippenstift. Er kniff sich wieder ins Kinn, wedelte sich dann mit der Hand Luft zu wie ein Kanufahrer, der paddelt.

„Alles Quatsch", sagte er leise. „Du vergeudest deine Zeit, Steve."

Er ging zur Tür und griff nach der Klinke, kehrte dann zu dem Bett zurück und hob es am Fußende hoch.

Miss Marylin Delorme war zu Hause.

Sie lag auf der Seite unter dem Bett auf dem Fußboden, die langen Beine gespreizt, als ob sie liefe. An einem Fuß hatte sie einen Pantoffel. Über den Strümpfen waren Strumpfhalter und Haut zu sehen und eine blaue Rose auf etwas Rosafarbenem. Sie trug ein kurzärmeliges Kleid mit viereckigem Halsausschnitt, das nicht besonders sauber war. Ihr Hals über dem Kleid zeigte violette Druckstellen.

Ihr Gesicht hatte die dunkle Farbe von Pflaumen, ihre Augen das schwache stumpfe Schimmern des Todes, und ihr Mund stand so weit offen, daß ihr Gesicht verkürzt wirkte. Sie fühlte sich kälter als Eis an und war noch ganz schlaff. Sie war mindestens zwei oder drei Stunden tot, höchstens sechs.

Die rote Handtasche lag neben ihr, klaffte offen wie ihr Mund. Steve berührte nichts von dem Inhalt, der auf den Boden geleert worden war. Eine Waffe oder Papiere waren nicht dabei.

Er klappte das Bett wieder herunter, machte eine Runde durch das Apartment, wischte alles ab, was er berührt hatte, und einen Haufen andere Dinge, von denen er sich nicht mehr erinnern konnte, ob er sie angefaßt hatte oder nicht.

Er lauschte an der Tür, ehe er hinaustrat. Der Gang war leer. Der Mann auf der gegenüberliegenden Seite hustete immer noch. Steve ging die Treppe hinunter, sah sich die Briefkästen an und ging durch den unteren Gang nach hinten zu einer Tür.

Hinter dieser Tür quietschte es monoton. Er klopfte, und die schrille Stimme einer Frau antwortete. Steve drückte die Klinke mit seinem Taschentuch herunter und trat ein.

Mitten in dem Zimmer wiegte sich eine Frau in einem alten Boston-Schaukelstuhl, ihr Körper in der schlaffen knochenlosen Haltung der Erschöpfung. Sie hatte ein lehmfarbenes Gesicht, strähnige Haare, graue Baumwollstrümpfe — war also alles, was man von einer Hauswirtin in Bunkerhill erwarten konnte. Sie blickte Steve mit den interessierten Augen eines toten Goldfisches entgegen.

„Sind Sie die Hausverwalterin?"

Die Frau hörte auf, sich zu wiegen, und schrie, so laut sie konnte: „He, Jake, Besuch", und schaukelte sich weiter.

Die Tür eines Kühlschrankes schlug hinter einer halb offenstehenden Innentür dumpf zu, und ein sehr großer Mann mit einer Dose Bier in der Hand trat in das Zimmer. Er hatte ein teigiges Mondkalbgesicht und eine hochgekämmte Strähne auf der Mitte seines sonst kahlen Kopfes. Nacken und Kinn waren kräftig und brutal, und seine braunen Schweinsaugen waren so ausdruckslos wie die der Frau. Er hatte es nötig, sich zu rasieren — hatte es gestern schon nötig gehabt —, und ein kragenloses Hemd klaffte über einer großen harten, behaarten Brust. Er trug scharlachrote Hosenträger mit großen goldenen Schnallen daran.

Er hielt die Dose Bier der Frau hin. Sie riß sie ihm aus der Hand und jaulte vorwurfsvoll: „Ich bin so müde, daß ich nicht weiß, wo mir der Kopf steht."

Der Mann antwortete: „Ja, aber den Gang hast du wieder sehr liederlich gefegt."

Die Frau keifte: „Das mache ich, wie ich will." Durstig saugte sie Bier aus der Dose.

Steve sah den Mann an und fragte: „Sind Sie Hausverwalter?"

„Ja, bin ich. Jake Stoyanoff. Wiege zweihundertsechsundachtzig Pfund und habe noch was in mir."

„Wer wohnt in 211?" fragte Steve.

Der große Mann beugte sich etwas aus der Hüfte heraus vor und ließ seine Hosenträger auf seine Brust klatschen. In seinen Augen veränderte sich nichts. Vielleicht, daß sich die Haut um seinen kräftigen Unterkiefer etwas spannte. „Eine Dame", antwortete er.

„Allein?"

„Fragen Sie ruhig weiter", sagte der große Mann. Er streckte die Hand aus und nahm eine Zigarre von der Kante eines fleckigen Holz=

tisches. Die Zigarre brannte ungleichmäßig und roch, als wenn jemand eine Fußmatte in Brand gesetzt hätte. Mit einer harten stoßenden Bewegung schob er sie in den Mund, als wenn er darauf gefaßt wäre, daß der Mund sie nicht annehmen wollte.

„Ich fragte Sie ja", antwortete Steve.

„Fragen Sie mich draußen in der Küche", knurrte der große Mann. Er drehte sich um und hielt die Tür auf. Steve ging an ihm vorbei. Der große Mann knallte die Tür zu, daß man das Quietschen des Schaukelstuhls kaum noch hörte, öffnete den Kühlschrank und nahm zwei Dosen Bier heraus. Er öffnete sie und reichte eine Steve.

„Polente?"

Steve trank von dem Bier, stellte die Dose auf den Kühlschrank, zog eine nagelneue Karte aus seiner Brieftasche, eine Geschäftskarte, die am Vormittag gedruckt worden war. Er reichte sie dem Mann.

Der Mann las sie, legte sie auf den Spülstein, nahm sie wieder auf und las sie noch einmal. „Einer von denen", knurrte er über seinem Bier. „Was ist es denn diesmal?"

Steve zuckte die Schultern und sagte: „Ihre übliche Tour, nehme ich an. Die Schau mit dem zerrissenen Pyjama. Nur geht der Schuß diesmal hinten 'raus."

„Wie kommt das? Sollen Sie das in Ordnung bringen? Sie muß hübsch anschmiegsam sein."

Steve nickte. Der Große blies Rauch aus dem Mund. „Lassen Sie sich nicht aufhalten, bringen Sie es in Ordnung", sagte er.

„Haben Sie nichts dagegen, wenn ich sie mir hier vornehme?"

Der Große lachte herzlich. „Warum sollte ich?" fragte er überraschend freundlich. „Sie sind Privatdetektiv, also geht's dabei still zu. Von mir aus. Machen Sie es also still, und wenn sie versucht hat, einen auszunehmen – das läßt mich so kalt wie 'ne Flasche Milch. Also nur zu. Nehmen Sie sich soviel Zeit, wie Sie wollen. Nicht mal Bullen können Jake Stoyanoff stören."

Steve starrte den Mann an. Er sagte nichts. Der große Mann redete weiter, schien Interesse zu gewinnen. „Außerdem", fuhr er fort und machte mit seiner Zigarre eine Bewegung, „habe ich ein weiches Herz.

Einem Mädchen kann ich nichts tun. Ich habe noch nie eine Puppe in Verlegenheit gebracht." Er trank sein Bier aus und warf die Dose in einen Korb unter dem Spülstein. Dann hielt er Steve seine große Hand unter die Nase, rieb den Daumen und Zeige- und Mittelfinger langsam aneinander: „Es sei denn, es geht um das hier", fügte er hinzu.

Leise sagte Steve: „Sie haben große Hände. Sie könnten es gewesen sein."

„Was?" Seine kleinen braunen, ledernen Augen wurden still und starr.

Der große Mann bewegte sich etwas nach links, fort von dem Spülstein. Er ließ seine Rechte locker herunterhängen, preßte seine Lippen so fest zusammen, daß die Zigarre fast seine Nase berührte.

„Was heißt das?" bellte er. „Was wollen Sie mir anhängen, Kerl? Was —"

„Hören Sie auf", unterbrach Steve. „Sie wurde umgebracht. Erwürgt. Oben unter ihrem Bett liegt sie. Im Laufe des Vormittags, würde ich sagen. Es war einer mit großen Händen — Händen wie Ihre."

Der große Mann hatte Übung, seine Waffe aus der Hüfttasche zu ziehen. Sie erschien so plötzlich in seiner Hand, daß es schien, als sei sie ihm aus der Hand gewachsen oder er habe sie die ganze Zeit darin gehalten.

Stirnrunzelnd sah Steve auf die Waffe und bewegte sich nicht. Der große Mann musterte ihn von oben bis unten. „Sie sind einer von den Harten", sagte er. „Ich war lange genug im Ring, um zu sehen, ob einer Mumm hat. Sie sind reichlich hart, Junge, aber nicht so hart wie Blei. Packen Sie aus, aber schnell."

„Ich klopfte an ihre Tür, bekam keine Antwort. Das Schloß war eine Spielerei. Ich ging hinein. Fast hätte ich sie nicht gefunden, weil das Bett heruntergelassen war und sie darauf gesessen und eine Zeitschrift gelesen hatte. Von einem Kampf war keine Spur zu entdecken. Ich sah zufällig noch unter das Bett, ehe ich ging. Und da lag sie. Kalt und tot, Mister Stoyanoff. Stecken Sie die Knarre weg. Sie behaupteten gerade, Bullen könnten Sie nicht stören."

Der große Mann flüsterte: „Ja und nein, besonders gern hab' ich sie auch nicht. Manchmal gerate ich mit ihnen aneinander. Meistens, wenn ich einen sitzen habe. Aber was sagten Sie da von meinen Händen, Mister?"

Steve schüttelte den Kopf. „Das hat nichts auf sich", erklärte er. „Sie kauen sich Ihre Nägel ab. Aber an ihrem Hals waren die Spuren von Nägeln. Damit stehen Sie außer Verdacht."

Der große Mann sah nicht auf seine Finger. Er war sehr bleich. Auf seiner Unterlippe hingen in seinen schwarzen Bartstoppeln Schweißtropfen. Er stand immer noch vorgebeugt, immer noch regungslos, als man durch die Küchentür hörte, daß vorn an der Wohnzimmertür geklopft wurde. Das gedämpfte Quietschen des Schaukelstuhls brach ab, und die schrille Frauenstimme schrie: „He, Jake, Besuch."

Der Große legte den Kopf zur Seite. „Die alte Schlampe würde nicht aufstehen, wenn das Haus in Brand steht", sagte er rauh.

Rückwärts ging er zur Tür, glitt hindurch und schloß sie hinter sich.

Steve ließ seine Augen schnell durch die Küche schweifen. Über dem Spülstein war hoch oben ein schmales Fenster, tief unten am Boden eine kleine Klappe für den Mülleimer, aber keine weitere Tür. Er griff nach seiner Karte, die Stoyanoff auf dem Spülstein liegengelassen hatte, und schob sie in die Tasche. Dann zog er den kurzläufigen Detective Special aus seiner linken Brusttasche, wo er ihn, wie in einem Halfter, den Lauf nach unten, trug.

So weit war er, als durch die Mauer Schüsse aufbellten — etwas gedämpft, aber immer noch laut hörbar. Vier, die schnell hintereinander fielen.

Steve trat zurück und trat mit ausgestrecktem Bein gegen die Tür. Sie hielt dem Tritt stand, und er spürte die Wucht des Trittes in der Hüfte und im Nacken. Er fluchte, nahm durch die ganze Küche Anlauf und rammte mit der linken Schulter dagegen. Diesmal gab sie nach. Er taumelte in das Wohnzimmer. Die Frau mit dem Lehmgesicht saß vorgebeugt in ihrem Schaukelstuhl, den Kopf auf der Seite, und eine Strähne mausgrauer Haare hing in ihre knochige Stirn.

„Fehlzündung, was?" sagte sie stumpf. „Klang aber nah. Muß in der Seitengasse gewesen sein."

Steve stürmte durch das Zimmer, riß die Außentür auf und stürzte in den Gang. Der große Mann stand noch auf den Füßen, ein paar Schritte von ihm entfernt, vor einer mit Fliegengitter bespannten Tür, die auf die Seitengasse führte. Er stützte sich an der Wand. Seine Waffe lag zu seinen Füßen. Dann gab sein linkes Knie nach, und er sank darauf nieder.

Eine Tür im Gang wurde aufgestoßen. Eine Frau mit hartem Gesicht spähte heraus und schlug die Tür sofort wieder hinter sich zu. Das Radio hinter der Tür plärrte plötzlich in voller Lautstärke.

Der große Mann kam wieder von seinem linken Knie hoch, aber sein Bein zitterte heftig. Er sank auf beide Knie, bekam die Waffe zu fassen und kroch auf die Tür zu. Dann fiel er plötzlich flach aufs Gesicht, versuchte krampfhaft, weiterzukriechen, obwohl sein Gesicht auf dem schmalen Läufer schleifte.

Plötzlich hörte er auf zu kriechen. Er bewegte sich überhaupt nicht mehr. Sein Körper wurde schlaff, die Hand, die die Waffe hielt, verlor ihren Griff, und sie entglitt ihr.

Steve prallte gegen die Fliegentür und stand auf der Seitengasse. Ein grauer Sedan raste zur Hauptstraße davon. Steve blieb stehen, richtete sich auf und zielte mit seinem Revolver. Der Sedan verschwand um die Ecke.

Auf der anderen Seite der Gasse sah ein Mann aus einem Fenster. Steve rannte los, deutete hinter sich, deutete nach vorn. Im Laufen steckte er seine Waffe in die Tasche zurück. Als er das Ende der Sackgasse erreichte, war der Sedan außer Sicht. Steve verlangsamte seinen Schritt, blieb dann stehen.

Einen halben Block entfernt parkte ein Mann gerade seinen Wagen, stieg aus und ging über den Bürgersteig in ein Restaurant. Steve beobachtete, wie er hineinging, schob dann seinen Hut gerade und ging an den Häusern entlang zu dem Restaurant.

Er trat ein, nahm an der Theke Platz und bestellte Kaffee. Bald darauf erklangen Sirenen.

Steve trank seinen Kaffee, bestellte eine weitere Tasse, trank sie gleichfalls. Er zündete eine Zigarette an, ging dann die lange abfallende

Straße zur Fünften hinunter, ging weiter zur Hill, bis zum Ende der Angel's Flight und holte sein Kabriolett von einem Parkplatz.

Er fuhr nach Westen, über Vermont hinaus zu dem kleinen Hotel, in dem er sich am Vormittag ein Zimmer gemietet hatte.

IV

Bill Dockery, der Programmanager des Club Shalotte, balancierte auf den Absätzen und gähnte in den unbeleuchteten Eingang des Speisesaals. Für das Geschäft war die späte Cocktailstunde eine tote Zeit. Noch zu früh zum Abendessen und viel zu früh für das wirkliche Geschäft des Klubs: Spiel mit hohen Einsätzen.

Dockery war ein gutaussehender Mann, in einem mitternachtsblauen Smoking mit einer dunkelroten Nelke. Er hatte unter schwarzgelacktem Haar eine fünf Zentimeter hohe Stirn, gutgeformte Gesichtszüge, vielleicht etwas grob, wachsame braune Augen und sehr lange gebogene Wimpern, die er gern über seine Augen sinken ließ, um kampffreudige Betrunkene zu verleiten, nach ihm zu schlagen.

Die Tür zum Foyer wurde von dem uniformierten Türsteher aufgehalten, und Steve Grayce trat ein.

Dockery sagte: „Ham, ha", klopfte sich an die Zähne und verlagerte sein Gewicht auf die Fußspitzen. Er ging langsam durch die Halle, um den Gast zu empfangen. Steve stand unmittelbar hinter der Tür und ließ seine Augen über die mit Milchglas verkleideten Wände des Foyers, die von hinten schwach angestrahlt wurden, schweifen. In die Glasscheiben waren Segelschiffe, wilde Dschungeltiere, siamesische Pagoden und Tempel aus Yukatan eingeschliffen. Die Türen waren rechteckige Rahmen aus Chrom, wie Rahmen für Fotografien. Der Klub hatte allen Stil, den man verlangen konnte, und das Stimmengemurmel aus der Bar auf der linken Seite war gedämpft. Die unaufdringliche spanische Musik, die die Stimmen begleitete, war so delikat wie ein geschnitzter Fächer.

Dockery trat näher, schob seinen lackierten Kopf einen Zoll vor. „Kann ich Ihnen helfen?"

„Ist King Leopardi da?"

Dockery lehnte sich wieder zurück. Sein Gesicht war uninteressiert. „Dieser Kapellmeister? Sein Gastspiel beginnt morgen abend."

„Ich dachte, er sei vielleicht hier, zu einer Probe oder so etwas."

„Sind Sie mit ihm befreundet?"

„Ich kenne ihn. Ich suche keinen Job bei ihm, und ich schustere auch keine Lieder zusammen. Falls Sie solche Bedenken haben."

Dockery schaukelte wieder auf seinen Absätzen. Er war völlig unmusikalisch, und Leopardi bedeutete ihm nicht mehr als eine Tüte Erdnüsse. Er lächelte halb. „Vor kurzem war er in der Bar." Er wies mit seinem eckigen harten Kinn die Richtung. Steve Grayce ging in die Bar.

Sie war zu einem Drittel besetzt, war warm und bequem und weder zu hell noch zu dunkel. Das kleine spanische Orchester hatte seinen Platz unter einem Bogen, spielte mit gedämpften Saiten kleine einschmeichelnde Melodien, die eher Erinnerungen als Musik zu sein schienen. Eine Tanzfläche gab es nicht. Es war ein langer Raum mit bequemen Sitzen und kleinen runden Tischen mit Mosaikplatten, die nicht zu dicht beieinander standen. Auf drei Seiten des Raumes zog sich eine gepolsterte Bank an den Wänden entlang. Kellner schwirrten wie Motten zwischen den Tischen umher.

Steve Grayce erkannte Leopardi in der entfernten Ecke des Raumes mit einem Mädchen. An beiden Seiten von ihnen befand sich ein leerer Tisch.

Das Mädchen war eine Offenbarung. Sie war groß, und ihr Haar hatte die Farbe eines Buschfeuers, das man durch eine Staubwolke sieht. Darauf trug sie im denkbar schiefsten Winkel eine schwarze zweispitzige Samtkappe mit zwei künstlichen Schmetterlingen aus klein gepunkteten Federn, die mit großen silbernen Nadeln daran befestigt waren. Ihr Kleid war aus burgunderroter Wolle, und der Blaufuchs, der ihr über eine Schulter hing, war mindestens zwei Fuß breit. Ihre Augen waren groß, rauchblau und blickten belustigt. In ihrer behandschuhten Hand drehte sie langsam ein Glas auf der Tischplatte.

Leopardi saß ihr gegenüber, vorgebeugt, sprach auf sie ein. Seine

Schultern sahen sehr breit in einem zottigen rahmfarbenen Sportjackett aus. Über seinem Kragen bildete sein Haar eine scharfe Spitze auf dem braunen Nacken. Er lachte gerade über den Tisch, als Steve näher kam, und etwas in seinem Lachen klang selbstbewußt und höhnisch.

Steve blieb stehen, trat dann hinter den nächsten Tisch. Diese Bewegung ließ Leopardi aufblicken. Er wandte verärgert den Kopf, und dann öffneten sich seine Augen sehr weit und funkelten, und sein ganzer Körper drehte sich wie ein mechanisches Spielzeug herum.

Leopardi legte seine beiden ziemlich kleinen, gutgeformten Hände auf den Tisch neben sein Highballglas. Er lächelte. Dann schob er seinen Stuhl zurück und stand auf. Er hob einen Finger und berührte mit einer theatralischen Geste seinen schmalen, zurückrasierten Schnurrbart. Dann sagte er schleppend, aber deutlich: „Sie Hurensohn."

Ein Mann an einem Nebentisch drehte sich um und runzelte die Stirn. Ein Kellner, der herüberkommen wollte, erstarrte und verschwand dann zwischen den Tischen. Das Mädchen sah Steve Grayce an, lehnte sich gegen das Polster der Wandbank, feuchtete eine Fingerspitze ihrer rechten Hand an und glättete damit ihre kastanienbraune Augenbraue.

Steve stand völlig still. Auf seinen Backenknochen standen plötzlich hochrote Flecke. Er sagte leise: „Sie haben gestern nacht im Hotel etwas zurückgelassen. Ich glaube, Sie sollten etwas tun. Hier."

Er zog ein gefaltetes Papier aus der Tasche und streckte es ihm hin. Leopardi nahm es, immer noch lächelnd, entfaltete es und las. Es war ein Blatt gelbes Papier, auf das Fetzen eines weißen Papiers geklebt waren. Leopardi ballte das Blatt zusammen und ließ es fallen.

Er kam einen leichten Schritt auf Steve zu und wiederholte lauter: „Sie Hurensohn."

Der Mann, der sich zuerst umgedreht hatte, stand plötzlich auf und sah herüber. Deutlich sagte er: „Ich wünsche nicht, daß derartige Ausdrücke vor meiner Frau gebraucht werden."

Ohne ihn auch nur anzusehen, sagte Leopardi: „Gehen Sie samt Ihrer Frau zum Teufel."

Das Gesicht des Mannes lief dumpf rot an. Die Frau, die ihn begleitete, stand auf, ergriff eine Tasche und einen Mantel und wandte sich zur Tür. Nach einem unentschlossenen Augenblick folgte ihr der Mann. Der Kellner, der zwischen den Tischen davongeglitten war, verschwand durch den Eingang in das Foyer. Er ging sehr schnell.

Leopardi trat einen weiteren, längeren Schritt näher und schlug Steve unter das Kinn. Steve schwankte unter dem Schlag, wich zurück, stützte seine Hand auf einen anderen Tisch und warf dabei ein Glas um. Er drehte sich zur Seite, um sich bei den Gästen an diesem Tisch zu entschuldigen. Leopardi sprang sehr schnell vor und traf ihn hinter dem Ohr.

Dockery kam durch den Eingang, riß zwei Kellner wie eine Bananenschale auseinander und eilte durch den Raum, wobei er alle seine Zähne zeigte.

Steve würgte etwas und duckte sich. Er drehte sich um und sagte heiser: „Einen Augenblick, Sie Narr, das ist noch nicht alles. Da ist . . ."

Leopardi schoß heran und traf ihn mitten auf den Mund. Von Steves Lippe floß Blut, rann von seinem Mundwinkel herunter, stand schimmernd auf seinem Kinn. Das rothaarige Mädchen griff nach seiner Tasche, das Gesicht weiß vor Ärger, und wollte aufstehen.

Unvermittelt drehte sich Leopardi auf dem Absatz und ging davon. Dockery streckte eine Hand aus, um ihn aufzuhalten. Leopardi stieß die Hand beiseite, ging weiter und verließ die Bar.

Das große rothaarige Mädchen legte seine Tasche wieder auf den Tisch und ließ sein Taschentuch auf den Boden fallen. Sie sah Steve gerade und offen an und sagte ruhig: „Wischen Sie das Blut von Ihrem Kinn, ehe es auf ihr Hemd tropft." Sie hatte eine volle gedeckte Stimme, mit reizvollen Untertönen.

Dockery kam mit schroffem Gesicht heran, packte Steve am Arm, legte Druck dahinter. „Nun langt's! Kommen Sie."

Steve stand völlig ruhig, die Beine gespreizt und sah das Mädchen an. Er tupfte mit dem Taschentuch seinen Mund ab. Er lächelte halb. Dockery konnte ihn keinen Millimeter von der Stelle bringen. Er ließ seine Hand sinken, gab zwei Kellnern ein Zeichen, die hinter Steve sprangen, ihn aber nicht berührten.

Steve betastete sorgfältig seine Lippe, sah auf das Blut an seinem Taschentuch. Er wandte sich an die Gäste an dem Tisch hinter ihm und sagte: „Es tut mir schrecklich leid, ich verlor das Gleichgewicht."

Das Mädchen, dessen Glas er umgestoßen hatte, rieb mit einer kleinen Serviette mit Hohlsaum ihr Kleid ab. Sie lächelte zu ihm auf und sagte: „Es war nicht Ihre Schuld."

Die beiden Kellner packten plötzlich von hinten Steves Arme. Dockery schüttelte den Kopf, und sie ließen ihn wieder los. Scharf fragte er: „Haben Sie ihn geschlagen?"

„Nein."

„Haben Sie etwas gesagt, was ihn beleidigte?"

„Nein."

Das Mädchen an dem Tisch in der Ecke bückte sich, um ihr heruntergefallenes Taschentuch aufzuheben. Sie brauchte ziemlich lange. Schließlich hatte sie es und nahm wieder ihren Platz in der Ecke ein. Kalt sagte sie: „Das stimmt, Bill. Es war nur wieder einmal die reizende Art des King, sich seinem Publikum zu zeigen."

„Wie?" sagte Dockery und neigte den Kopf auf seinen kräftigen harten Hals. Dann grinste er und sah Steve wieder an.

Grimmig sagte Steve: „Er hat dreimal hart zugeschlagen, einmal von hinten, ohne etwas zurückzubekommen. Sie sehen aus, als könnten Sie einiges vertragen. Würden Sie das hinnehmen?"

Dockery musterte ihn. Gelassen sagte er: „Sie haben recht, das könnte ich nicht. Verschwindet!" fügte er scharf, zu den Kellnern gewandt, hinzu. Sie verschwanden. Dockery roch an seiner Nelke und meinte gleichmütig: „Wir schätzen Schlägereien bei uns nicht." Er lächelte dem Mädchen zu und wandte sich ab, wechselte an diesem und jenem Tisch ein paar Worte. Er verließ die Bar durch die Tür zum Foyer.

Steve betupfte noch einmal seine Lippe, steckte dann das Taschentuch ein und suchte mit den Augen den Boden ab.

Das rothaarige Mädchen sagte ruhig: „Ich glaube, ich habe, was Sie suchen — in meinem Taschentuch. Wollen Sie sich nicht setzen?"

Ihre Stimme klang ihm vertraut, als habe er sie schon einmal gehört.

Er setzte sich ihr gegenüber, auf den Stuhl, auf dem Leopardi gesessen hatte.

Das rothaarige Mädchen sagte: „Die Drinks gehen auf meine Rechnung. Ich war mit ihm zusammen."

„Eine Coke mit einem Spritzer Bitters", sagte Steve zu dem Kellner.

„Und Madame?" fragte der Kellner.

„Kognak mit Soda, wenig Kognak, bitte."

Der Kellner verneigte sich und glitt davon. Amüsiert sagte sie: „Coke mit einem Spritzer Bitters. Das gefällt mir an Hollywood so gut. Man trifft so viele Neurotiker."

Steve sah ihr in die Augen und entgegnete gleichmütig: „Ich bin Gelegenheitstrinker. Einer von den Burschen, die ein Glas Bier trinken wollen und dann in Singapur mit einem Vollbart aufwachen."

„Ich glaube Ihnen kein Wort. Kennen Sie den King schon lange?"

„Seit gestern nacht. Wir vertrugen uns nicht sehr gut."

„Das schien mir auch so." Sie lachte. Auch ihr Lachen war voll, vibrierend, verhalten.

„Geben Sie mir das Papier."

„Oh, einer von den Ungeduldigen. Das hat doch Zeit." Das Taschentuch mit dem zerkrumpelten Papier wurde fest von ihrer behandschuhten Hand umschlossen. Ihr rechter Mittelfinger spielte mit einer ihrer Augenbrauen. „Sie sind nicht beim Film, oder doch?"

„Um Himmels willen, nein."

„Genau wie ich. Ich bin zu groß. Die schönen Männer müssen auf Stelzen gehen, wenn sie mich an ihre breite Brust drücken wollen."

Der Kellner setzte die Drinks vor ihnen nieder, verneigte sich, wobei seine Serviette elegant durch die Luft schwang, und verschwand.

Steve wiederholte: „Geben Sie mir das Papier, meine Dame."

„‚Meine Dame' finde ich scheußlich. Das klingt mir immer nach Verkehrskontrolle."

„Ich kenne Ihren Namen nicht."

„Ich Ihren auch nicht. Wo haben Sie Leopardi denn kennengelernt?"

Steve seufzte. Das kleine spanische Orchester spielte jetzt eine Melodie in melancholischem Moll, und das gedämpfte Klicken der Kürbisrasseln herrschte vor.

Steve lauschte mit zur Seite geneigtem Kopf. „Die E-Saite ist einen halben Ton zu tief gestimmt", sagte er. „Ein ganz witziger Effekt."

Das Mädchen sah ihn mit einem plötzlichen neuen Interesse an. „Das habe ich nie bemerkt", sagte sie. „Und ich gelte als eine recht gute Sängerin. Aber Sie haben meine Frage nicht beantwortet."

Langsam erwiderte er: „Gestern nacht war ich noch Hausdetektiv im Carlton-Hotel. Sie nannten mich dort Nachtdienst, aber tatsächlich war ich Hausdetektiv. Leopardi wohnte dort und trug es etwas zu dick auf. Ich schmiß ihn hinaus und wurde dafür selbst gefeuert."

Das Mädchen sagte: „Ah, ich fange an zu verstehen. Er trat als der King auf, und Sie traten — ich möchte meinen — als eine ziemlich harte Sorte Hausdetektiv auf."

„Ungefähr in der Art. Wollen Sie jetzt bitte ..."

„Sie haben mir immer noch nicht Ihren Namen genannt."

Er zog seine Brieftasche, nahm eine der funkelnagelneuen Karten heraus und schob sie über den Tisch. Sie trank einen Schluck aus ihrem Glas, während sie las.

„Ein netter Name", sagte sie langsam. „Aber die Adresse ist nicht sehr gut. Und *Private Ermittlung* ist schlecht. Es sollte einfach *Ermittlungen* heißen. Ganz klein in der linken unteren Ecke."

„Das Geschäft wird auch ohnehin klein genug werden", grinste Steve. „Und wollen Sie bitte ..."

Sie streckte ihre Hand plötzlich über den Tisch und ließ das zusammengedrückte Papierknäuel in seine Hand fallen.

„Ich habe es natürlich nicht gelesen, aber das würde ich natürlich gern tun. Sie werden mir so weit vertrauen, hoffe ich ...", sie blickte wieder auf die Karte. „Steve. Ja, und Ihr Büro sollte entweder in einem georgianischen Bau oder in einem der ganz modernen Gebäude am Sunset in den Achtzigern sein. Zimmernummer sowieso etwa. Und Ihre

Kleidung sollte sehr extravagant sein, wirklich extravagant, Steve. In unserer Stadt unauffällig auftreten wirkt wie eine kaputte Wasserspülung."

Er lächelte sie an. In seinen tiefliegenden, dunklen Augen standen Lichter. Sie steckte die Karte in ihre Tasche, gab ihrem Pelz einen Ruck und trank etwa die Hälfte aus ihrem Glas. „Ich muß gehen." Sie winkte dem Kellner und bezahlte die Rechnung. Der Kellner zog sich zurück, und sie stand auf.

Scharf sagte Steve: „Setzen Sie sich."

Sie sah ihn verwundert an. Dann setzte sie sich wieder, lehnte sich zurück und sah ihn immer noch an. Steve beugte sich über den Tisch und fragte: „Wie gut kennen *Sie* Leopardi?"

„Seit Jahren bin ich ihm gelegentlich begegnet. Falls es Sie etwas angeht. Aber werden Sie um Himmels willen nicht herrisch mir gegenüber. Ich verabscheue herrische Männer. Ich habe einmal mit seiner Band gesungen, aber nicht sehr lange. Man kann mit Leopardi einfach nicht singen. Wenn Sie verstehen, was ich damit meine."

„Sie haben sich aber mit ihm verabredet."

Sie nickte leicht und hob dann die Schultern. „Er beginnt morgen abend hier sein Gastspiel. Er versuchte, mich zu überreden, ich sollte wieder bei ihm singen. Ich sagte nein. Aber vielleicht muß ich es trotzdem, jedenfalls für ein oder zwei Wochen. Der Mann, dem der Club Shalotte gehört, besitzt auch meinen Vertrag und außerdem den Rundfunksender, für den ich viel arbeite."

„Jumbo Walters", sagte Steve. „Man behauptet, er sei hart, aber ehrlich. Ich bin ihm nie begegnet, würde es aber gern. Schließlich muß ich von irgend etwas leben. Hier."

Er streckte die Hand über den Tisch und ließ das zusammengedrückte Papier fallen. „Sie haben mir noch nicht gesagt, wer Sie sind."

„Dolores Chiozza."

Steve wiederholte den Namen langsam. „Den Namen kenne ich. Ich höre Sie gern singen. Ich habe Sie schon oft gehört. Sie tragen Ihre Lieder nicht so dick auf wie die meisten bekannten Schlagersängerinnen."

Das Mädchen strich das Papier auf dem Tisch glatt und las, langsam, ohne Ausdruck. Dann sagte sie ruhig: „Wer hat es zerrissen?"

„Leopardi, vermute ich. Die Stücke lagen gestern nacht in seinem Papierkorb. Ich klebte sie wieder zusammen, nachdem er schon fort war. Der Bursche hat Mut, oder er bekommt derartiges Zeug so oft, daß es ihm nicht mehr auffällt."

„Vielleicht hat er es auch für einen Ulk gehalten." Sie sah unbewegt zu ihm hinüber, faltete dann das Papier und reichte es zurück.

„Kann sein. Aber wenn er das ist, was man von ihm behauptet, wird eines Tages mal einer keinen Scherz meinen und mehr tun, als ihn nur ausnehmen."

„Er ist das, was man von ihm behauptet", versicherte Dolores Chiozza.

„Dann könnte es einer Frau nicht schwerfallen, an ihn heranzukommen — einer Frau mit einer Waffe, wie?"

Sie sah ihn fest an. „Nein. Und wenn Sie mich fragen, jeder würde ihr nach Kräften helfen. An Ihrer Stelle würde ich die ganze Geschichte vergessen. Wenn er Schutz sucht — Walters kann ihm mehr bieten als die Polizei. Und wenn nicht, wen interessiert es dann? Mich nicht. Nein, mich ganz bestimmt nicht!"

„Sie sind selbst ziemlich hart, Miss Chiozza, in manchen Dingen."

Sie antwortete nicht. Ihr Gesicht war etwas blaß und weit mehr als nur etwas hart.

Steve trank sein Glas aus, schob seinen Stuhl zurück und griff nach seinem Hut. Er stand auf. „Ich danke Ihnen sehr für den Drink, Miss Chiozza. Nachdem ich Sie kennengelernt habe, freue ich mich noch mehr als bisher darauf, Sie wieder singen zu hören."

„Sie sind ja plötzlich sehr förmlich", meinte sie.

Er lächelte. „Auf Wiedersehen, Dolores."

„Auf Wiedersehen, Steve. Viel Glück als Bluthund. Und wenn ich etwas höre . . ."

Er drehte sich um und ging zwischen den Tischen hindurch aus der Bar.

V

Durch den frischen Herbstabend blinkten ihm die Lichter von Hollywood und Los Angeles entgegen. Scheinwerfer fingerten und schossen in den wolkenlosen Himmel hinauf, als ob sie nach Bombern suchten.

Steve holte sein Kabriolett von dem Parkplatz und fuhr den Sunset Boulevard entlang nach Osten. An der Ecke Sunset und Fairfax kaufte er eine Abendzeitung und blieb am Straßenrand stehen, um sie durchzusehen. Die Zeitung brachte nichts über Court Street 118.

Er fuhr weiter, aß in einer kleinen Kaffeestube neben seinem Hotel zur Nacht und ging in ein Kino. Als er herauskam, kaufte er eine Stadtausgabe der *Tribune*, einer Morgenzeitung. Darin standen sie — alle beide.

Die Polizei war der Ansicht, Jake Stoyanoff könnte das Mädchen erwürgt haben, aber sie sei nicht vergewaltigt worden. Sie wurde als Stenotypistin, im Augenblick arbeitslos, bezeichnet. Die Zeitung brachte kein Bild von ihr. Sie brachte indessen ein Bild von Stoyanoff, das wie eine retuschierte Polizeiaufnahme aussah. Die Polizei suchte nach einem Mann, der mit Stoyanoff gesprochen hatte, kurz ehe er erschossen wurde. Verschiedene Personen hatten ausgesagt, es sei ein großer Mann in einem dunklen Anzug gewesen. Das war die ganze Beschreibung, die die Polizei gab — oder bekanntgab.

Steve grinste schief, trat noch einmal in die Kaffeestube, um seinen Abendkaffee zu trinken, und ging dann hinauf in sein Zimmer. Es war ein paar Minuten vor elf. Als er die Tür aufschloß, begann sein Telefon zu klingeln.

Er schloß die Tür und blieb im Dunkeln stehen, um zu überlegen, wo das Telefon sei. Dann ging er wie eine Katze gerade durch das dunkle Zimmer darauf zu, setzte sich in einen Sessel und holte das Telefon von dem unteren Fach eines kleinen Tisches hervor. Er nahm den Hörer ab und sagte: „Hallo."

„Ist dort Steve?"

Es war eine volle, etwas belegte Stimme, tief, schwingend. Sie hatte einen gespannten Unterton.

„Ja, hier ist Steve. Ich weiß, wer Sie sind."

Darauf folgte ein schwaches, trockenes Lachen. „Aus Ihnen kann doch noch ein Detektiv werden. Und wie es scheint, bringe ich Ihnen Ihren ersten Fall. Wollen Sie sofort in meine Wohnung kommen? Sie ist 24–12 Renfrew Nord – Süd gibt's da nicht – gerade einen halben Block unterhalb der Fountain. Es ist eine Art Siedlung aus Bungalows. Mein Haus ist das letzte in der Reihe, der hinteren."

Steve antwortete: „Ja, gewiß, was gibt es denn?"

Eine Pause folgte. Ein Wagen hupte auf der Straße vor dem Hotel. Eine Welle weißen Lichtes lief quer über die Decke, von einem Wagen, der bergauf um eine Kurve fuhr. Die tiefe Stimme sagte sehr langsam: „Leopardi. Ich kann ihn nicht loskriegen, er ist — er ist stockbetrunken und liegt in meinem Schlafzimmer." Dann folgte ein winziges gezwungenes Lachen, das ganz und gar nicht zu der Stimme paßte.

Steve umklammerte das Telefon so fest, daß seine Hand schmerzte. Seine Zähne knirschten. Er sagte knapp mit unpersönlicher, trockener Stimme: „Ja, es wird Sie allerdings zwanzig Dollars kosten."

„Selbstverständlich. Beeilen Sie sich bitte."

Er legte den Hörer zurück, saß schwer atmend in dem dunklen Zimmer. Er schob seinen Hut in den Nacken, riß ihn dann wieder wütend nach vorn und lachte laut auf. „Zum Teufel", sagte er, „von der Sorte ist sie also."

24—12 Renfrew war genaugenommen keine Siedlung aus Bungalows. Es war eine Reihe aus sechs verschränkten Bungalows, die alle in die gleiche Richtung sahen, aber so angeordnet waren, daß von keinem die Eingangstüren der anderen beobachtet werden konnten. Hinter ihnen zog sich eine Ziegelmauer hin, und hinter der Mauer stand eine Kirche. Vor den Bungalows schimmerte silbern ein langer schmaler Rasenstreifen im Mondlicht.

Zur Tür führten zwei Stufen hinauf, an jeder Seite hing eine Laterne, und die Ausguckklappe war mit einem schmiedeeisernen Gitter geschützt. Auf sein Klopfen wurde sie geöffnet, und ein Mädchengesicht sah heraus; ein kleines ovales Gesicht mit einem Amorsbogenmund, gewölbten und ausgezupften Augenbrauen, welligem braunem Haar. Die Augen waren wie zwei frische, glänzende Kastanien.

Steve ließ seine Zigarette fallen, trat sie mit dem Fuß aus. „Ich möchte zu Miss Chiozza. Sie erwartet mich, Steve Grayce."

„Miss Chiozza ist schlafen gegangen", sagte das Mädchen schnippisch mit einem fast frechen Verziehen ihrer Lippen.

„Reden Sie keinen Unsinn. Sie haben gehört, ich werde erwartet."

Das Gucklochfenster wurde zugeschlagen. Er wartete, sah mit gerunzelter Stirn über den schmalen mondbeschienenen Rasen zur Straße zurück. So war das also. Nun, eine Fahrt durch den Mondschein war zwanzig Dollars immer wert.

Das Schloß klickte, und die Tür wurde weit geöffnet. Steve ging an dem Hausmädchen vorbei in einen warmen, freundlichen Raum mit altmodischen Chintzmöbeln. Die Lampen waren weder alt noch neu, aber es gab genügend, und sie standen an den richtigen Stellen. Hinter einem zusammenklappbaren Kupferschirm war eine offene Feuerstelle, nahe davor ein tiefes Sofa, in der Ecke eine Hausbar, mit Rundfunkempfänger kombiniert.

Das Mädchen sagte steif: „Ich bitte um Entschuldigung. Miss Chiozza hatte vergessen, es mir zu sagen. Nehmen Sie bitte Platz." Die Stimme war sanft und vielleicht sogar etwas befangen. Das Mädchen ging aus dem Zimmer — kurze Röcke, reinseidene Strümpfe, zwölf Zentimeter hohe, dünne Absätze.

Steve setzte sich, hielt seinen Hut auf den Knien und starrte finster an die Wand. Eine Klapptür fiel zu. Er nahm eine Zigarette, rollte sie zwischen seinen Fingern und zerquetschte sie dann absichtlich zu einem formlosen flachen Ding aus weißem Papier und Tabakkrümeln. Er warf sie fort, gegen den Ofenschirm.

Dolores Chiozza kam auf ihn zu. Sie trug einen grünsamtenen Hausanzug mit einer langen Schärpe mit goldenen Fransen. Sie wirbelte das Ende der Schärpe wie ein Lasso herum. Sie zeigte ein leicht gekünsteltes Lächeln. Ihr Gesicht erschien frisch geschrubbt, als habe sie gerade unter der Dusche gestanden, und ihre Augenlider schimmerten bläulich und flatterten.

Steve stand auf und beobachtete, wie die Spitzen ihrer grünen Marocainpantoffeln aus den weiten Hosenbeinen hervorguckten, während sie ging. Als sie vor ihm stand, hob er seinen Blick zu ihrem Gesicht und sagte mürrisch: „Guten Abend."

Sie sah ihn fest an und sagte dann in einer hohen klingenden Stimme: „Ich weiß, daß es spät ist, aber ich wußte ja auch, daß Sie gewöhnt sind, lange aufzubleiben. Darum dachte ich, was wir zu besprechen haben —. Aber wollen Sie sich nicht setzen?"

Sie drehte ganz leicht den Kopf und schien auf etwas zu lauschen.

„Ich gehe nie vor zwei schlafen", antwortete Steve. „Es macht also gar nichts."

Sie trat an den Kamin und drückte auf eine Klingel neben der Feuerstelle. Einen Moment später kam das Mädchen.

„Bitte etwas Eis, Agatha. Dann kannst du nach Hause gehen."

„Ja, Miss Dolores." Das Mädchen verschwand.

Es herrschte dann eine Stille, die fast dröhnte, bis das große Mädchen mit abwesendem Ausdruck eine Zigarette aus einem Kästchen nahm, zwischen die Lippen steckte und Steve an seiner Schuhsohle linkisch ein Streichholz anriß. Sie schob das Ende der Zigarette in die Flamme, und der Blick ihrer rauchblauen Augen ruhte fest auf seinen schwarzen. Sie schüttelte ganz leicht den Kopf.

Das Mädchen kam mit einem kupfernen Behälter mit Eiswürfeln zurück. Sie zog einen niedrigen Tisch mit einem indianischen Messingtablett als Platte zwischen die beiden vor das Sofa, stellte das Eis darauf, dann einen Siphon, Gläser, Löffel und eine dreieckige Karaffe, die aussah, als sei sehr guter Scotch darin, wenn man davon absah, daß sie mit einem silbernen Filigran umfaßt und durch einen dazu passenden Stöpsel verschlossen wurde.

Dolores Chiozza fragte in sehr formellem Ton: „Wollen Sie uns einen Drink mixen?"

Er mixte zwei Drinks, reichte ihr das eine Glas. Sie schlürfte, schüttelte den Kopf. „Zu leicht", sagte sie. Er goß mehr Whisky dazu und reichte es zurück. Sie sagte: „Besser", und lehnte sich in die Ecke des Sofas zurück.

Das Mädchen kam wieder in das Zimmer. Sie hatte einen kleinen, verwegenen roten Hut auf ihrem welligen braunen Haar und trug einen grauen, mit hübschem Pelz besetzten Mantel. In der Hand hatte sie eine schwarze Brokattasche, die den Inhalt eines mittelgroßen Kühlschrankes aufnehmen konnte. Sie sagte: „Gute Nacht, Miss Dolores."

„Gute Nacht, Agatha."

Das Mädchen ging zur Haustür hinaus, schloß sie leise hinter sich. Ihre Absätze klapperten auf dem Fußweg. In einiger Entfernung wurde die Tür eines Wagens geöffnet, geschlossen und ein Motor gestartet. Sein Brummen war bald verklungen. Es war eine sehr stille Gegend. Steve stellte sein Glas auf die Messingplatte, sah das große Mädchen hart an und sagte rauh: „Jetzt ist sie also aus dem Weg."

„Ja. Sie fährt mit ihrem eigenen Wagen nach Hause. Sie holt mich mit meinem aus dem Studio ab, wenn ich abends Sendung habe, wie heute. Ich fahre nicht gern selbst."

„Nun, worauf warten Sie noch?"

Das rothaarige Mädchen sah unbewegt auf den Ofenschirm. Ein Muskel an ihrer Wange zuckte.

Nach einem Augenblick sagte sie: „Komisch, daß ich Sie angerufen habe statt Walters. Er könnte mir besser helfen. Nur hätte er mir nicht geglaubt. Ich dachte, Sie würden es vielleicht. Ich habe Leopardi nicht aufgefordert, hierherzukommen. Meines Wissens sind Sie und ich die beiden einzigen in der Welt, die wissen, daß er hier ist."

Etwas in ihrer Stimme ließ Steve aufhorchen.

Sie nahm ein kleines Taschentuch aus der Brusttasche ihres grünen Hausanzuges, ließ es auf den Boden fallen, hob es schnell wieder auf und drückte es gegen ihren Mund. Plötzlich begann sie ohne einen Ton heftig zu beben.

Steve sagte schnell: „Was soll das? Ich werde mit dem Kerl jederzeit spielend fertig. Ich konnte es gestern abend, und gestern abend hatte er eine Waffe und schoß nach mir."

Sie drehte den Kopf. Ihre Augen waren sehr weit aufgerissen und starr. „Aber es kann nicht meine Waffe gewesen sein", sagte sie mit tonloser Stimme.

„Was? — Natürlich nicht — Was sagen Sie da?"

„Heute abend ist es meine Waffe", hauchte sie und sah ihn an. „Sie haben gesagt, eine Frau könnte mit einer Waffe leicht an ihn herankommen."

Er fixierte sie nur stumm. Sein Gesicht war jetzt blaß, und aus seiner Kehle kam ein unklarer Ton.

„Er ist nicht betrunken, Steve", sagte sie leise. „Er ist tot. In einem gelben Schlafanzug — in meinem Bett. Mit meiner Waffe in der Hand. Sie dachten doch nicht, daß er nur betrunken sei, oder doch?"

Er stand sehr schnell und plötzlich auf. Blieb dann regungslos stehen, starrte auf sie hinunter. Er fuhr sich mit der Zungenspitze über die Lippen, und nach einer sehr langen Pause formte sein Mund erst Worte: „Zeigen Sie ihn mir." Seine Stimme war ein heiseres Flüstern.

VI

Das Zimmer lag im hinteren linken Teil des Hauses. Sie nahm einen Schlüssel aus ihrer Tasche und schloß die Tür auf. Auf einem Tisch brannte eine Lampe, die Jalousien waren heruntergelassen. Steve ging schweigend an ihr vorbei in das Zimmer, wie auf Katzenpfoten.

Leopardi lag breit mitten auf dem Bett, ein großer, glatter, stiller Mann, wächsern und künstlich im Tod. Selbst sein Schnurrbart wirkte falsch. Seine halboffenen Augen, blicklos wie Marmorkugeln, sahen aus, als hätten sie nie etwas gesehen. Er lag auf dem Rücken auf dem Laken, und die Bettdecke war über das Fußende des Bettes geworfen.

Der King trug einen gelbseidenen Pyjama. Die Jacke war eine Überziehbluse mit hochgeschlagenem Kagen. Der Schlafanzug war sehr weit und dünn. Auf der Brust war er dunkel von Blut, das sich wie in Löschpapier in die Seide eingesaugt hatte. Auch an seinem nackten braunen Hals war etwas Blut.

Steve starrte auf ihn hinunter und sagte tonlos:„Der König in Gelb. Ich habe mal ein Buch mit diesem Titel gelesen. Wahrscheinlich liebte er Gelb. Ich habe gestern nacht sein Zeug eingepackt. Aber er selbst war nicht gelb. Kerle seiner Art sind es gewöhnlich, oder etwa nicht?"

Dolores Chiozza ging in eine Ecke und setzte sich auf einen gepolsterten Hocker und blickte zu Boden. Es war ein hübsches Zimmer. Seine Einrichtung war so modern, wie die des Wohnzimmers unauffällig war. Es hatte einen milchkaffeefarbenen Chenilleteppich, streng geformte Möbel aus eingelegtem Holz und einen raffinierten Toilettentisch mit einem Spiegel als Platte, in der Mitte eine Öffnung für die Knie und Schubladen an den Seiten, wie ein Schreibtisch. Darüber ein dreiteiliger Spiegel und eine halbzylindrische Wandleuchte aus Milchglas. In der Ecke stand ein Glastisch, darauf ein Windhund aus Kristall und eine Lampe mit dem höchsten zylinderförmigen Schirm, den Steve je gesehen hatte.

Er sah sich das alles nicht näher an und blickte wieder auf Leopardi. Er hob den Pyjama des King vorsichtig hoch und betrachtete die Wunde. Sie war direkt über dem Herzen, und die Haut war verbrannt und zerrissen. Es war nicht sehr viel Blut da. Er war im Bruchteil einer Sekunde tot gewesen.

Eine kleine Mauserpistole lag in seiner rechten Hand auf dem zweiten Kissen des Bettes.

„Das ist gekonnt", sagte Steve und deutete darauf. „Ja, das ist ordentlich gemacht. Eine typische Kontaktwunde, nehme ich an. Er hat sogar seine Pyjamabluse hochgezogen. Ich habe gehört, daß sie das tun. Dabei eine 7,63 Mauser. Sind Sie sicher, daß es Ihre ist?"

„Ja." Sie starrte unentwegt auf den Boden. „Sie lag in dem Schreibtisch im Wohnzimmer, ungeladen. Aber es waren auch Patronen da. Ich weiß nicht, warum. Jemand hat sie mir einmal geschenkt. Ich weiß gar nicht, wie man sie lädt."

Steve lächelte. Sie hob plötzlich den Blick, sah sein Lächeln und schauderte zusammen. „Ich kann nicht erwarten, daß jemand mir das glaubt", sagte sie. „Wahrscheinlich wäre es das beste, die Polizei zu holen."

Steve nickte abwesend, nahm eine Zigarette in den Mund und wippte sie zwischen seinen Lippen, die von Leopardis Schlag immer noch geschwollen waren, auf und ab. Er riß ein Streichholz an seinem

Daumennagel an, stieß eine kleine Rauchwolke aus und sagte ruhig: „Keine Polizei, noch nicht. Erst berichten Sie mal."

Das rothaarige Mädchen sagte: „Ich singe bei KFQC, wie Sie wissen. An drei Abenden in der Woche, in einem Viertelstundenprogramm für eine Autofirma. Heute abend hatte ich Sendung. Agatha und ich kamen nach Hause – kurz vor halb elf. An der Tür fiel mir ein, daß kein Sodawasser im Hause war. Darum schickte ich sie zurück zu einem Drugstore, der drei Blocks entfernt ist, und ging allein ins Haus. In dem Haus war ein merkwürdiger Geruch. Ich weiß nicht, was es war. Irgendwie, als ob ein paar Männer hiergewesen wären. Als ich in das Schlafzimmer kam, lag er genauso da wie jetzt. Ich sah die Waffe und ging ins Wohnzimmer, suchte danach, und dann wußte ich, daß ich verloren war. Ich wußte nicht, was ich tun sollte. Selbst wenn die Polizei mir nichts nachweisen kann, werde ich von nun an überall, wo ich hinkomme . . . "

Steve unterbrach scharf: „Er ist hier hereingekommen? Wie?"

„Ich weiß es nicht."

„Weiter", sagte er.

„Ich verschloß die Tür. Dann zog ich mich aus – mit ihm *so* auf meinem Bett. Ich ging in das Badezimmer, um zu duschen, um wieder zu Sinnen zu kommen. Als ich das Zimmer verließ, schloß ich ab und nahm den Schlüssel an mich. Agatha war inzwischen zurück, aber ich glaube nicht, daß sie etwas bemerkte. Nun, ich duschte also, und das half mir etwas. Dann goß ich mir einen Drink ein und rief Sie an."

Sie hielt inne, feuchtete eine Fingerspitze an und glättete das Ende ihrer linken Augenbraue. „Das ist alles, Steve, absolut alles."

„Hausmädchen können sehr neugierig sein. Ihre Agatha ist neugieriger als die meisten, oder ich müßte mich sehr irren." Er ging zur Tür und betrachtete das Schloß. „Ich wette, es gibt drei oder vier Schlüssel im Haus, mit denen man hier aufschließen kann." Er trat zu den Fenstern und betastete die Riegel, spähte durch die Scheiben auf die Jalousie. Über die Schulter fragte er beiläufig: „War der King in Sie verliebt?"

Ihre Stimme klang scharf, fast wütend: „Er hat nie irgendeine Frau geliebt. Vor ein paar Jahren, in San Franzisko, als ich eine Zeitlang bei seiner Kapelle war, gab es ein dummes Gerede über uns. Alles Unsinn. Jetzt ist es hier in den Pressemitteilungen wieder aufgewärmt worden, als Reklame für sein Gastspiel. Ich erklärte ihm heute nachmittag, daß ich davon nichts wissen wollte, daß ich in Verbindung mit ihm in keiner Form genannt werden wollte. Sein Privatleben war schmutzig. Es stank. Das weiß jeder in unserem Beruf. Und es ist kein Beruf, in dem viele Gänseblümchen gedeihen."

„War Ihr Schlafzimmer das einzige, in das er nicht hineinkam?" fragte Steve.

Das Mädchen errötete bis zu den Wurzeln seines dunkelroten Haares.

„Das klingt übel, gebe ich zu. Aber ich muß ein komplettes Bild haben. Das stimmt doch?" fügte er hinzu.

„Ja. Ich nehme es an. Das einzige will ich allerdings nicht behaupten."

„Gehen Sie in das andere Zimmer und gießen Sie sich etwas zu trinken ein."

Sie stand auf und sah ihn über das Bett offen an. „Ich habe ihn nicht getötet, Steve. Ich habe ihn heute abend nicht in mein Haus gelassen. Ich wußte nicht, daß er herkommen würde oder daß er einen Grund hatte, hierherzukommen. Ob Sie es glauben oder nicht. Aber etwas ist daran verkehrt. Leopardi wäre der letzte in der Welt gewesen, der sich selbst sein freudenreiches Leben genommen hätte."

„Er hat es auch nicht, mein Engel", antwortete Steve. „Gehen Sie etwas trinken. Er wurde ermordet. Das Ganze wurde Ihnen untergeschoben. Wer es auch tat, er wußte, Sie würden von Jumbo Walters gedeckt und er selbst damit auch. Gehen Sie jetzt!"

Er stand ruhig, bewegungslos, bis die Geräusche aus dem Wohnzimmer ihm anzeigten, daß sie dort war. Dann zog er sein Taschentuch aus der Tasche, löste die Waffe aus Leopardis rechter Hand, wischte sie von außen sorgfältig ab, nahm das Magazin heraus, holte die einzelnen Patronen aus dem Magazin, wischte jede einzelne ab, warf die Patrone aus der Kammer aus und wischte sie auch ab. Er lud die Waffe wieder und gab sie in Leopardis tote Hand zurück, schloß deren Finger darum und drückte den Zeigefinger gegen den Abzug. Er ließ die Hand in natürlicher Haltung wieder fallen.

Er tastete zwischen dem Bettzeug, fand die ausgeworfene Hülse, wischte auch sie ab und schob sie an die Stelle zurück, wo er sie gefunden hatte. Er hob das Taschentuch an die Nase, schnüffelte mit schiefem Gesicht daran, ging um das Bett zu dem Kleiderschrank und öffnete ihn.

„Liederlich mit deinem Anzug umgegangen, mein Junge", murmelte er vor sich hin.

An einem Haken hing die grobe rahmfarbene Jacke über einer dunkelgrauen Hose mit einem Gürtel aus Eidechsenleder. Ein gelbes Seidenhemd und eine weinrote Krawatte hingen daneben. Ein Taschentuch in der Farbe der Krawatte hing zehn Zentimeter lang lose aus der Brusttasche der Jacke. Auf dem Boden lagen ein Paar muskatbrauner Sportschuhe aus Gazellenleder und Socken ohne Halter. Und dicht daneben lag eine gelbseidene Unterhose mit einem großen schwarzen Monogramm.

Steve tastete sorgfältig die graue Hose ab und zog eine lederne Schlüsseltasche heraus. Er verließ das Zimmer, ging durch den Quergang in die Küche. Ihre Außentür war fest, mit einem guten Schnappschloß, in dem der Schlüssel stak. Er zog den Schlüssel heraus und versuchte die Schlüssel in der Schlüsseltasche, stellte fest, daß keiner paßte, steckte den richtigen ins Schloß zurück und ging in das Wohnzimmer. Er öffnete die Haustür, trat hinaus und zog sie hinter sich ins Schloß, ohne das Mädchen anzusehen, das in einer Ecke des Sofas kauerte. Er probierte sämtliche Schlüssel durch und fand schließlich den richtigen. Er schloß auf, trat ins Haus, ging in das Schlafzimmer zurück und steckte die Schlüsseltasche wieder in die graue Hose. Dann kam er in das Wohnzimmer.

Das Mädchen kauerte immer noch bewegungslos und starrte ihm entgegen.

Er lehnte sich mit dem Rücken gegen den Kamin, zog an seiner Zigarette. „War Agatha die ganze Zeit bei Ihnen im Studio?"

Sie nickte. „Ich glaube, ja. Er besaß also einen Schlüssel?! Das haben Sie doch eben feststellen wollen, nicht wahr?"

„Ja. Wie lange ist Agatha schon bei Ihnen?"

„Etwa ein Jahr."

„Hat sie gestohlen? Ich meine Kleinigkeiten?"

Dolores Chiozza hob müde die Schultern. „Was macht das schon? Die meisten tun das. Ein bißchen Creme oder Puder, ein Taschentuch, hin und wieder ein Paar Strümpfe. Ja, ich glaube, daß sie mich bestohlen hat. Hausmädchen halten sich dazu mehr oder minder berechtigt."

„Nicht die anständigen, mein Engel."

„Nun, die Arbeitszeit war ziemlich ungewöhnlich. Ich arbeite abends, komme oft sehr spät nach Hause. Sie ist gleichzeitig Zofe und Hausmädchen."

„Wissen Sie sonst etwas über sie? Schnupft sie Kokain, oder raucht sie Marihuana? Trinkt sie? Hatte sie jemals Lachkrämpfe?"

„Ich glaube, nicht. Was hat sie damit zu tun, Steve?"

„Sie hat jemandem den Schlüssel zu Ihrem Haus verkauft, meine Dame. Das ist ganz offensichtlich. Sie haben ihm keinen gegeben. Der Hausbesitzer würde ihm auch keinen geben. Aber Agatha hatte doch einen. Stimmt's?"

Ihre Augen weiteten sich entsetzt. Ihre Lippen zitterten etwas, aber nicht sehr. Das Glas neben ihrem Ellenbogen war unangetastet. Steve beugte sich vor und trank einen Schluck daraus.

Gequält sagte sie: „Wir vergeuden unsere Zeit, Steve. Wir müssen die Polizei rufen. Niemand kann etwas dagegen machen. Als anständiger Mensch bin ich ruiniert, wenn mein Ruf als Frau nicht überhaupt völlig dahin ist. Sie werden denken, es war ein Streit zwischen einem Liebespaar und daß ich ihn erschossen habe. Damit bin ich erledigt. Selbst wenn ich sie überzeugen könnte, daß ich es nicht war, dann erschoß er sich immer noch in meinem Bett, und das genügt, um mich zu ruinieren. Es hat keinen Zweck, daß ich mir etwas vormache."

Steve sagte leise: „Passen Sie auf. Meine Mutter tat das immer."

Er legte einen Finger auf den Mund, beugte sich vor und berührte ihre Lippen mit demselben Finger an der gleichen Stelle. Er lächelte und sagte: „Wir wollen zu Walters gehen — das heißt, Sie werden zu ihm gehen. Er wird sich bei der Polizei die Richtigen aussuchen, und die, die er aussucht, werden nicht laut hupend durch die Nacht rasen und Reporter an ihren Rockschößen hängen haben. Sie werden still und heimlich kommen wie der Gerichtsvollzieher. Das kann Walters durchsetzen. Damit wurde auch gerechnet. Und ich werde zu Agatha gehen, weil ich eine Beschreibung von dem Burschen will, dem sie den Schlüssel verkauft hat. Und die brauche ich sehr schnell. Übrigens schulden Sie mir zwanzig Dollars dafür, daß ich herkam. Vergessen Sie das nicht."

Das große Mädchen stand auf und lächelte: „Sie können einem Mut machen", sagte sie. „Weshalb sind Sie so überzeugt, daß er ermordet wurde?"

„Der Pyjama, den er anhat, ist nicht sein eigener. Auf seinem ist ein Monogramm. Ich habe gestern nacht sein Zeug betrachtet, ehe ich ihn aus dem Carlton hinauswarf. Ziehen Sie sich an, Engel, und geben Sie mir Agathas Adresse."

Er ging in das Schlafzimmer zurück und zog das Bettuch über Leopardi, hielt es einen Augenblick über dem stillen wächsernen Gesicht, ehe er es fallen ließ.

„Mach's gut, Junge", sagte er freundlich. „Du warst ein Lump — aber du hattest Musik in dir."

Es war ein kleines Fachwerkhaus an der Brighton Avenue, nahe der Jefferson, in einem Block mit kleinen Fachwerkhäusern, alle altmodisch, mit Veranden vor der Tür. Zu diesem hier führte ein schmaler Betonweg, den der Mond weißer erscheinen ließ, als er war.

Steve stieg die Stufen hinauf und sah auf den Lichtschein neben der Sonnenblende hinter dem breiten Vorderfenster. Er klopfte. Schlurfende Schritte kamen zur Tür, die geöffnet wurde, und eine Frau sah ihn durch die eingehakte Tür an; eine plumpe ältere Frau, mit gekräuseltem grauem Haar. Ihr Körper, in einer Kittelschürze, war formlos, und an ihren Füßen trug sie ausgeweitete Pantoffeln. Ein Mann mit einem blanken kahlen Schädel und milchigen Augen saß in einem Korbstuhl neben dem Tisch. Er hielt seine Hände vor sich auf den Knien und knetete seine Knöchel. Er blickte nicht zur Tür.

Steve sagte: „Ich komme von Miss Chiozza. Sind Sie Agathas Mutter?"

Die Frau antwortete bedrückt: „Das bin ich. Aber sie ist nicht zu Hause, Mister." Der Mann in dem Korbsessel zog irgendwoher ein Taschentuch und schneuzte sich. Er kicherte gehässig.

Steve sagte: „Miss Chiozza fühlt sich heute abend nicht sehr gut. Sie hoffte, Agatha würde zurückkommen und die Nacht über bei ihr bleiben."

Der Mann mit den milchigen Augen kicherte wieder, diesmal laut und hämisch. Die Frau sagte: „Wir wissen nicht, wo sie ist. Sie kam noch nicht nach Hause. Pa und ich warten auf sie. Sie bleibt noch einmal so lange fort, bis wir krank werden."

Der alte Mann schnappte in einer piepsigen Stimme: „Sie wird sich noch herumtreiben, bis die Polizei sie einmal aufgreift."

„Pa ist halb blind", erklärte die Frau. „Das hat ihn böse gemacht. Wollen Sie nicht hereinkommen?"

Steve schüttelte den Kopf und drehte seinen Hut zwischen den Händen wie ein schüchterner Cowboy in einer Wildwestoperette. „Ich muß sie finden", sagte er. „Wo kann sie hingegangen sein?"

„Weg. Irgendwo Schnaps trinken mit einem billigen Kerl", kakelte Pa. „Mit Tanzbodenjünglingen, die seidene Taschentücher statt Krawatten tragen. Wenn ich noch sehen könnte, würde ich ihr das Fell gerben, bis sie umfällt." Er packte die Armlehne seines Sessels, und auf seinen Händen traten die Sehnen hervor. Dann begann er zu weinen. Tränen liefen aus seinen milchigen Augen und rannen durch die weißen Stoppeln auf seinen Wangen. Die Frau ging zu ihm, nahm ihm das Taschentuch aus der Hand und wischte sein Gesicht ab. Dann schneuzte sie sich in das Taschentuch und kam zur Tür zurück.

„Sie kann überall sein", sagte sie zu Steve. „Die Stadt ist groß, Mister. Ich weiß nicht, was ich Ihnen sagen soll."

Steve sagte mürrisch: „Ich komme noch mal wieder. Wenn sie nach Hause kommt, halten Sie sie fest. Was haben Sie für eine Telefonnummer?"

„Wie ist die Telefonnummer, Pa?" rief die Frau über die Schulter.

„Ich verrate sie nicht", knurrte Pa.

Die Frau sagte: „Ich weiß sie schon. South 2454. Rufen Sie ruhig an. Pa und ich, wir haben doch nichts zu tun."

Steve bedankte sich und ging über den weißen Fußweg zur Straße zurück, den halben Block entlang, bis zu der Stelle, wo er seinen Wagen abgestellt hatte. Zufällig blickte er über die Straße, als er in seinen Wagen stieg. Dann erstarrte er plötzlich, eine Hand am Griff der Wagentür. Er ließ ihn los, trat drei Schritte zur Seite und sah mit fest zusammengepreßtem Mund auf die andere Seite der Straße.

Die Häuser in dem Block waren sich alle sehr ähnlich. Aber bei dem gegenüber hing ein Schild *Zu vermieten* im Vorderfenster, und das Firmenschild eines Grundstücksmaklers stand auf einem Pfahl auf dem kleinen Rasenstück. Das Haus selbst sah vernachlässigt und völlig leer aus, aber in der kurzen Garageneinfahrt stand ein kleines sauberes, schwarzes Coupé.

Leise sagte Steve zu sich: „Nase muß man haben, Steve."

Er ging fast zögernd und vorsichtig über die breite staubige Straße, seine Hand auf dem harten Metall der Waffe in seiner Tasche, trat hinter den kleinen Wagen, blieb stehen und lauschte. Unhörbar schlich er links an dem Wagen vorbei, spähte über die Straße zurück und sah dann in das offene linke Vorderfenster des Wagens.

Das Mädchen saß fast so, als ob sie fahre, vielleicht, daß ihr Kopf etwas zu weit auf die Schulter zurückhing. Der kleine rote Hut saß noch auf ihrem Haar, der graue pelzbesetzte Mantel umhüllte ihren Körper. Im Widerschein des Mondlichts war ihr Mund aufgerissen. Ihre Zunge ragte heraus. Ihre Kastanienaugen waren auf das Dach des Wagens gerichtet.

Steve berührte sie nicht. Er brauchte sie nicht zu berühren oder näher hinzusehen, um zu wissen, daß an ihrem Hals einige Druckstellen waren.

„Die Kerle haben es auf Frauen abgesehen", murmelte er.

Die große schwarze Brokattasche des Mädchens lag auf dem Sitz neben ihr, klaffte offen wie ihr Mund — wie Miss Marylin Delormes Mund und wie Miss Marylin Delormes rote Tasche.

„Ja, sie sind auf Frauen aus."

Er wich zurück, bis er unter einer kleinen Palme am Eingang der Garageneinfahrt stand. Die Straße war so leer und verlassen wie ein geschlossenes Theater. Er ging still zu seinem Wagen, stieg ein und fuhr fort.

Was bedeutete es? Ein Mädchen kam spät abends allein nach Hause, wurde überfallen und ein paar Türen von seiner eigenen Wohnung entfernt von einem rohen Kerl erwürgt. Ganz einfach. Der erste Streifenwagen, der durch diesen Block fuhr — wenn die Polizisten auch nur halb wach waren —, würde in dem Augenblick anhalten und nachsehen, in dem sie das Schild *Zu vermieten* entdeckten. Steve trat scharf aufs Gas und fuhr fort.

An der Ecke Washington und Figueroa Street ging er in einen Drugstore, der die Nacht über geöffnet blieb, und zog die Tür zu der Telefonzelle im Hintergrund hinter sich zu. Er warf seine Münze in den Schlitz und wählte die Nummer des Headquarter.

Er fragte nach dem Diensthabenden und sagte: „Schreiben Sie bitte mit, Sergeant. Brighton Avenue, Block 3200, westliche Seite, in der Garageneinfahrt eines leeren Hauses. Haben Sie das?"

„Ja. Und was ist da?"

„Ein Wagen mit einer toten Frau", sagte Steve und hängte ein.

VII

Quillan, der Erste Tagesempfangschef und stellvertretender Manager des Carlton-Hotels, hatte den Nachtdienst übernommen, weil Millar, der Nachtempfangschef, für eine Woche auf Urlaub war. Es war halb zwei, das Geschäft war tot, und Quillan langweilte sich. Er hatte alles, was zu tun war, schon lange erledigt. Seit zwanzig Jahren arbeitete er im Hotelfach, und was zu tun war, bedeutete für ihn nichts.

Der Nachtportier war mit dem Saubermachen fertig und befand sich in seinem Zimmer neben dem Fahrstuhlschacht. Ein Fahrstuhl war, wie üblich, erleuchtet und stand offen. Die Haupthalle war aufgeräumt, die Lichter waren ordnungsgemäß ausgeschaltet. Es war alles genau wie immer.

Quillan war ein ziemlich kleiner, etwas dicklicher Mann, mit klaren, hellen, krötenartigen Augen, die einen freundlichen Ausdruck zu haben schienen, tatsächlich aber gar keinen Ausdruck hatten. Er hatte bleiches sandiges Haar und nicht mehr sehr viel davon. Seine blassen Hände hielt er vor sich auf der Marmorplatte des Empfangstisches gefaltet. Er hatte gerade die richtige Größe, um sich auf den Tisch zu stützen, ohne daß es aussah, als ob er darauf liege. Er blickte auf die andere Seite der Eingangshalle, aber er sah sie nicht. Er schlief halb, obwohl seine Augen weit offenstanden, und wenn der Nachtportier hinter seiner Tür ein Streichholz anriß, würde er es hören und auf die Klingel drücken.

Die messinggefaßte Glastür des Straßeneingangs wurde aufgestoßen, und Steve Grayce kam herein, den Kragen seines Sommermantels hochgeschlagen, den Hut tief in die Stirn gezogen und eine rauchende Zigarette im Mundwinkel. Er sah sehr gelassen, sehr wachsam und nicht sehr zufrieden aus. Er kam zu dem Empfangstisch geschlendert und klopfte mit den Knöcheln darauf. „Wach auf", knurrte er.

Quillan bewegte seine Augen ein bißchen und sagte: „Alle Vorderzimmer mit Bad belegt, aber ganz bestimmt keine Partys auf dem Gang im Achten. So ist es, Steve. Jetzt haben sie dich schließlich gefeuert, und aus dem falschen Grund. So ist das Leben."

„Schon gut", antwortete Steve. „Habt ihr schon einen neuen Nachtdienst?"

„Wir brauchen keinen, Steve. Meiner Meinung nach brauchten wir nie einen."

„Solange alte Hotelhasen wie du ein paar Amseln im gleichen Stock mit Leuten wie Leopardi einquartieren, werdet ihr einen brauchen."

Quillan schloß seine Augen halb. Als er sie wieder öffnete, sah er auf die gleiche Stelle wie vorher. Gleichgültig erwiderte er: „War ich nicht, Freundchen. Aber jeder kann mal einen Fehler machen. Millar ist in Wirklichkeit Buchhalter, kein Empfangschef."

Steve lehnte sich zurück, und sein Gesicht wurde sehr nachdenklich. Der Rauch klebte fast an der Spitze seiner Zigarette. Seine Augen waren jetzt wie schwarzes Glas. Er lächelte etwas verschlagen. „Und warum wurde Leopardi in ein Vier-Dollars-Zimmer im achten Stock untergebracht statt in einem Turmapartment für achtundzwanzig?"

Quillan lächelte zurück. „Ich habe Leopardi nicht eingewiesen, alter Knabe. Die Zimmer waren vorbestellt. Ich nahm an, es war das, was er wünschte. Manche wollen kein Geld ausgeben. Sonst noch Fragen, Mister Grayce?"

„Ja. War 813 gestern nacht belegt?"

„Dort wurde etwas repariert, folglich war es leer. Irgend etwas mit der Installation. Weiter?"

„Wer hat die Reparatur veranlaßt?"

Quillans helle unergründliche Augen wandten sich ihm zu und wurden neugierig. Er antwortete nicht. Steve sagte: „Ich will dir erklären, warum. Leopardi war in 815, die beiden Mädchen waren in 811. Nur 813 lag dazwischen. Einer mit einem Hauptschlüssel hätte in 813 hineingehen und die Riegel zu beiden Verbindungstüren aufziehen können. Wenn dann die Bewohner der beiden angrenzenden Zimmer das gleiche taten, hätten sie eine Zimmerfolge gehabt."

„Und wenn schon?" fragte Quillan. „Wir sind um acht Dollars betrogen worden. Nun, das passiert auch in besseren Hotels als unserem." Seine Augen waren jetzt schläfrig.

Steve erklärte: „Millar könnte es gewesen sein. Aber, trotzdem, das ist so unlogisch. Millar gehört nicht zu der Sorte, die eine Stellung für einen Dollar Trinkgeld riskiert. Das ist Unsinn. Millar ist mit einem Dollar nicht zu kaufen."

Quillan sagte: „Nun gut, Meisterdetektiv, dann sage mir, was du wirklich willst."

„Eines der Mädchen in 811 hatte eine Pistole. Leopardi bekam gestern einen Drohbrief. Ich weiß nicht, wo und wie. Er imponierte ihm aber nicht, denn er hat ihn zerrissen. Daher weiß ich es. Ich sammelte die Fetzen aus seinem Papierkorb. Ich nehme an, daß Leopardis Musiker alle ausgezogen sind."

„Natürlich. Sie wohnen jetzt im Normandy."

„Ruf das Normandy an und verlange Leopardi zu sprechen. Wenn er dort ist, hockt er wahrscheinlich noch über einer Flasche, vermutlich mit einem Haufen Gesellschaft."

„Warum?" fragte Quillan freundlich.

„Weil du ein netter Mensch bist. Wenn Leopardi antwortet, hängst du einfach auf." Steve machte eine Pause und kniff sich ins Kinn. „Wenn er fortgegangen ist, versuche festzustellen, wohin."

Quillan richtete sich auf, sah Steve mit einem weiteren stillen Blick lange an und trat hinter die Milchglaswand. Steve stand ganz still, lauschte, die eine Hand in die Seite gestemmt, die andere klopfte lautlos auf der Marmorplatte.

Nach etwa drei Minuten kam Quillan zurück, lehnte sich wieder auf den Empfangstisch und sagte: „Er ist nicht da. In seinem Apartment – sie haben ihm eins von den großen angehängt – ist eine Party im Gange, und es geht laut zu. Ich sprach mit einem Burschen, der noch einigermaßen nüchtern war. Er sagte, Leopardi wurde gegen zehn angerufen – irgendein Mädchen. Er habe sich herausgeputzt, wie der Bursche am Telefon sagte, und sei fortgegangen. Deutete an, daß er eine besonders nette Verabredung hätte. Der Kerl war gerade betrunken genug, um mir das alles zu erzählen."

Steve sagte: „Auf dich kann man sich wenigstens verlassen. Ich würde dir den Rest gern erzählen, aber es geht nicht. Ich habe hier gern gearbeitet. Viel Arbeit war's ja gerade nicht."

Er wandte sich wieder dem Ausgang zu. Quillan ließ ihn gehen, bis Steve die Hand auf den Messinggriff der Tür legte. Dann rief er ihn zurück. Steve drehte sich um und kam langsam wieder zum Empfangstisch.

„Ich habe gehört, daß Leopardi auf dich geschossen hat", sagte Quillan. „Ich glaube nicht, daß es bekannt wurde. Hier wurde es jedenfalls nicht gemeldet. Und ich glaube auch nicht, daß Peters sich darüber völlig im klaren war, ehe er den Spiegel in 815 gesehen hatte. Wenn dir daran liegt, wiederzukommen, Steve –"

Steve schüttelte den Kopf. „Danke für die gute Absicht."

„Und als ich von dem Schuß hörte", fügte Quillan hinzu, „erinnerte ich mich an etwas. Vor zwei Jahren hat sich ein Mädchen in 815 erschossen."

Steve richtete sich plötzlich gerade auf, er schoß fast hoch. „Was für ein Mädchen?"

Quillan sah ihn überrascht an. „Ich weiß es nicht. An ihren Namen erinnere ich mich nicht mehr. Irgendein Mädchen, das so viel mitgemacht hatte, wie es ertragen konnte, und in einem sauberen Bett sterben wollte – allein."

Steve griff über den Empfangstisch und packte Quillans Arm. „Das Hotelarchiv", keuchte er. „Die Zeitungsausschnitte. Alles, was die Zeitungen darüber gebracht haben, muß im Archiv sein. Ich will diese Ausschnitte sehen!"

Quillan starrte ihn einen langen Augenblick an. Dann sagte er: „Ich weiß nicht, was du spielst, Junge. Du läßt dir auch nicht in die Karten sehen, das muß man dir lassen. Dabei muß ich mir eine langweilige Nacht um die Ohren schlagen."

Er griff über den Empfangstisch und drückte auf die Klingel. Die Tür zum Raum des Nachtportiers ging auf, und der Portier kam durch die Eingangshalle. Er nickte Steve lächelnd zu.

Quillan sagte: „Übernimm eine Weile meinen Platz, Carl. Ich gehe mal eben hinauf in Mister Peters' Büro."

Er ging zu dem Safe und nahm die Schlüssel heraus.

VIII

Die Hütte lag hoch oben auf dem Berghang vor einem dichten Unterholz aus verkrüppelten Fichten und Weihrauchzedern. Sie war fest gebaut, hatte einen Steinkamin, das Dach mit Schindeln bedeckt und ragte tief in den Hang hinein. Bei Tageslicht waren das Dach grün und die Seiten dunkelrotbraun. Die Fensterrahmen waren rot wie die Zug=

vorhänge. In dem unheimlichen Licht des hellen Oktobermondes in den Bergen war jede Einzelheit, außer den Farben, klar zu erkennen.

Sie stand am Ende einer Straße, eine viertel Meile von jeder benachbarten Hütte entfernt. Steve bog um die Kurve, fuhr ohne Licht auf sie zu. Es war fünf Uhr morgens. Er hielt seinen Wagen sofort an, nachdem er sich vergewissert hatte, daß es die richtige Hütte war, stieg aus und ging geräuschlos auf dem dicken Teppich wilder Iris neben der Schotterstraße weiter. Am Ende der Straße stand eine Garage aus rohen Fichtenbrettern, und von dort führte ein Pfad zur Veranda vor der Hütte. Die Garage war nicht abgeschlossen. Vorsichtig zog Steve die Tür auf, tastete sich im Dunkeln an den Wagen vor und betastete den Kühler. Er war noch warm. Er zog eine kleine Taschenlampe und ließ ihren Strahl über den Wagen wandern. Es war ein grauer Sedan, verstaubt, mit geringem Benzinstand. Er schaltete die Taschenlampe aus, schloß die Garagentür wieder vorsichtig und schob das Stück Holz, von dem sie zugehalten wurde, an seinen Platz zurück. Dann stieg er den Pfad zur Hütte hinauf.

Hinter den zugezogenen roten Vorhängen brannte Licht. Die Veranda war hoch, und Holzkloben mit dicken Rinden waren auf ihr aufgestapelt. Die Eingangstür hatte einen Riegel und darüber eine grobe Klinke. Er schritt hinauf, weder zu leise noch zu geräuschvoll, hob die Hand, seufzte tief und klopfte. Seine Hand berührte einmal den Griff seiner Waffe in der Innentasche seiner Jacke, aber er zog sie leer wieder heraus.

Ein Sessel knarrte, und Schritte tappten über den Boden, und eine Stimme rief unterdrückt: „Wer ist da?" Es war Millars Stimme.

Steve legte den Mund dicht an das Holz und sagte: „Hier ist Steve, George. Bist du schon auf?"

Ein Schlüssel wurde umgedreht und die Tür geöffnet. George Millar, der gepflegte Nachtempfangschef des Carlton-Hotels, sah jetzt nicht gepflegt aus. Er war mit einer alten Hose und einem dicken blauen Rollkragenpullover bekleidet. Seine Füße steckten in groben Wollsocken und pelzgefütterten Pantoffeln. Sein zurückgestutzter schwarzer Schnurrbart zog sich als ein gebogener Strich quer über sein blasses

Gesicht. Zwei elektrische Birnen brannten in ihren Sockeln an einem Balken, der in geringer Höhe direkt unter der Neigung des steilen Daches quer durch den Raum lief. Eine Tischlampe war angezündet und ihr Schirm zur Seite gekippt, so daß ihr Schein auf einen großen Morris=sessel mit ledernem Sitz= und Rückenkissen fiel. In einer großen offe=nen Feuerstelle brannte träge ein Feuer auf einem Haufen feiner Asche.

Millar sagte mit seiner gedämpften, etwas heiseren Stimme: „Sieh mal an, Steve. Ich freue mich, dich zu sehen. Aber wie hast du uns gefunden? Komm herein, Junge."

Steve trat durch die Tür, und Millar verschloß sie. „Gewohnheit aus der Stadt", sagte er mit breitem Lächeln. „In den Bergen schließt nie=mand etwas ab. Setz dich, wärm dir die Füße. Um diese Zeit ist es hier draußen kalt."

„Ja, mächtig kalt", antwortete Steve.

Er setzte sich in den Morrissessel, legte Hut und Mantel auf das Ende eines festen Tisches hinter sich. Er beugte sich vor und streckte seine Hände über das Feuer.

„Wie hast du uns hier nur gefunden, Steve?" fragte Millar noch einmal.

Steve sah ihn nicht an. Ruhig antwortete er: „So leicht war das gar nicht. Du hast mir gestern nacht gesagt, daß dein Bruder hier oben eine Hütte besitzt — erinnerst du dich? Da ich nichts zu tun hatte, dachte ich, ich werde mal hier herauffahren und bei euch ein Frühstück fech=ten. Der Mann in dem Gasthaus im Crestline wußte nicht, wem hier die Hütten gehören. Er macht sein Geschäft mit durchfahrenden Touri=sten. Ich klingelte einen Garagenwärter heraus, und der wußte auch nichts von einer Millar=Hütte. Dann sah ich ein Licht auf der Straße bei einem Kohlen= und Holzhändler. Da war ein kleiner Bursche, der hier Forstaufseher und stellvertretender Sheriff und Holz= und Benzin=händler ist und noch ein halbes Dutzend andere Berufe hat, der seinen Wagen auf die Straße brachte, um wegen ein paar Benzintanks nach San Bernardino zu fahren. Ein gescheiter, kleiner Mann. In dem Augen=blick, als ich sagte, daß dein Bruder mal Boxer war, wußte er Bescheid. So fand ich hierher."

Millar fingerte an seinem Schnurrbart. Irgendwo im Hintergrund der Hütte knarrten Bettfedern. „Er lebt immer noch unter seinem Boxernamen Gaff Talley. Ich werde ihn wecken, und wir werden einen Kaffee machen. Mir scheint, du und ich haben die gleichen Sitten. Wir sind daran gewöhnt, nachts zu arbeiten, und können deshalb nicht schlafen. Ich war überhaupt noch nicht im Bett."

Steve sah ihn lange an, blickte dann fort. Eine rauhe Stimme hinter ihm sagte: „Gaff ist auf. Wer ist dein Freund, George?"

Steve erhob sich ruhig und drehte sich um. Er sah zuerst auf die Hände des Mannes; er konnte nicht anders. Es waren große Hände, gepflegt und sauber, aber grob und häßlich. Einen Knöchel hatte er sich einmal häßlich gebrochen. Er war ein großer Mann mit rötlichem Haar. Er trug einen lockeren Bademantel über einem gestreiften Flanellschlafanzug. Er hatte ein ledernes, ausdrucksloses Gesicht, über den Backenknochen zernarbt. Auch über seinen Augenbrauen und an seinen Mundwinkeln waren weiße feine Narben. Seine Nase war platt und dick. Sein ganzes Gesicht sah aus, als ob es viele Schläge eingesteckt hätte. Nur in seinen Augen lag eine entfernte Ähnlichkeit mit Millar.

Millar sagte: „Das ist Steve Grayce, der Nachtdienst in unserem Hotel. Bis gestern nacht." Sein Lächeln war etwas vage.

Gaff Talley trat näher und schüttelte Steve die Hand. „Freut mich", sagte er. „Ich will mir was anziehen und werde versuchen, ein Frühstück aus dem Regal zusammenzukratzen. Ich habe genug geschlafen. George hat überhaupt nicht geschlafen, der arme Kerl."

Er ging durch den Raum zu der Tür zurück, durch die er hereingekommen war. Dort blieb er stehen, stützte sich auf ein altes Grammophon und steckte seine große Hand hinter einen Stapel Platten in Papierhüllen. So verharrte er regungslos.

Millar fragte: „Glück mit einem neuen Job gehabt, Steve? Oder hast du's noch nicht versucht."

„Doch, in gewisser Weise. Wahrscheinlich mache ich eine Dummheit, aber ich versuch's mal als Privatdetektiv. Sicher ist nicht viel drin, wenn ich nicht einen Schlag lande, der etwas Reklame macht." Er hob die Schultern und sagte dann: „King Leopardi ist umgelegt worden."

Millars Mund fiel weit auf. So stand er fast eine Minute lang da, völlig bewegungslos, mit offenem Mund. Gaff Talley lehnte sich gegen die Wand und starrte herüber, ohne daß sich in seinem Gesicht etwas zeigte. Millar fragte schließlich: „Umgelegt? Wo? Erzähl mir nicht –"

„Nicht in dem Hotel, George. Sehr bedauerlich, meinst du nicht auch? Nein, in der Wohnung einer Sängerin. Einer anständigen Frau übrigens. Sie hat ihn nicht veranlaßt, dort hinzukommen. Als Selbstmord frisiert. Nur funktioniert der Trick nicht. Und sie ist meine Klientin."

Millar bewegte sich noch immer nicht. Auch der große Mann nicht. Steve stützte sich mit den Schultern an dem steinernen Kaminsims. Leise sagte er: „Ich ging heute nachmittag in den Club Shalotte, um mich bei Leopardi zu entschuldigen. Dummer Einfall, denn ich brauchte mich nicht bei ihm zu entschuldigen. Er war in der Bar und bei ihm ein Mädchen. Er schlug mich dreimal und verschwand dann. Der Frau hat das nicht gefallen. Wir vertrugen uns recht gut und nahmen zusammen einen Drink. Dann rief sie spät heute abend – gestern abend – bei mir an und sagte, Leopardi sei betrunken in ihrer Wohnung und sie könne ihn nicht loswerden. Ich fuhr zu ihr, nur war er nicht betrunken. Er war tot, in ihrem Bett, in einem gelben Pyjama."

Der große Mann hob seine linke Hand und strich sich das Haar zurück. Millar lehnte sich vorsichtig gegen die Kante des Tisches, als fürchtete er, sie sei so scharf, daß er sich daran schneiden könne. Sein Mund unter dem gestutzten schwarzen Schnurrbart zuckte.

Er sagte heiser: „Das ist gemein."

Der große Mann fragte: „Und darüber soll ich weinen?"

„Allerdings war es nicht Leopardis Pyjama", fuhr Steve fort. „Seine Pyjamas haben ein Monogramm; große schwarze Initialen. Und seine sind aus Satin, nicht aus Seide. Und wenn er auch eine Pistole in der Hand hielt – die Waffe gehört übrigens dem Mädchen –, selbst hat er sich nicht ins Herz geschossen. Das wird die Polizei feststellen. Vielleicht habt ihr Vögel nie etwas von dem Lundtest mit Paraffin gehört, durch den man prüfen kann, ob einer kürzlich eine Waffe abgeschossen hat oder nicht. Der Mord war schon für die vorhergehende

Nacht im Hotel geplant worden, in Zimmer 815. Das habe ich vereitelt, als ich Leopardi aus dem Hotel hinauswarf, ehe die Schwarzhaarige aus 811 an ihn herankonnte. Stimmt's, George?"

„Das mag schon stimmen – wenn ich nur wüßte, wovon du sprichst."

Gedehnt sagte Steve: „Ich glaube, du weißt, wovon ich spreche, George. Es wäre eine Art poetischer Gerechtigkeit gewesen, wenn King Leopardi im Zimmer 815 umgelegt worden wäre, weil es das Zimmer ist, in dem sich vor zwei Jahren ein Mädchen erschossen hat. Ein Mädchen, das sich als Mary Smith eintrug, das sich aber im allgemeinen Eve Talley nannte und dessen richtiger Name Eve Millar war."

Der große Mann stützte sich schwer auf das Grammophon und sagte rauh: „Ich bin, scheint's, noch nicht ganz wach. Das klingt so, als sollte noch ein dreckiger Witz daraus werden. Wir hatten eine Schwester. Sie hieß Eve, und sie hat sich im Carlton erschossen. Was beweist das?"

Steve lächelte etwas hinterhältig. „Hör zu, George. Du hast mir gesagt, Quillan hätte die beiden Amseln in 811 untergebracht. In Wirklichkeit warst du es aber. Du hast mir gesagt, Leopardi wollte ein Zimmer im Achten statt eines guten Apartments, weil er betrunken war. Er war nicht betrunken. Ihm war es egal, wo er ein Zimmer bekam, solange Damengesellschaft in greifbarer Nähe zu finden war. Und dafür hattest du gesorgt. Du hast das Ganze geplant, George. Du hast sogar Peters veranlaßt, an Leopardi im Raleigh in Frisko zu schreiben und ihn aufzufordern, im Carlton zu wohnen, wenn er hier herkommt, weil es dem gleichen Mann gehöre, der auch den Club Shalotte besitzt. Als ob ein Mann wie Jumbo Walters sich darum kümmern würde, wo seine Musiker wohnen."

Millars Gesicht war tödlich weiß, ausdruckslos. Seine Stimme knarrte: „Steve, um Gottes willen, Steve, was sagst du da? Wie sollte ich –"

„Tut mir leid, George. Ich habe gern mit dir gearbeitet. Ich konnte dich gut leiden. Ich glaube, ich habe dich jetzt noch gern. Aber ich kann keine Menschen ertragen, die Frauen erwürgen oder Frauen in den Dreck ziehen, um einen Rachemord zu tarnen."

Er riß die Hand hoch und erstarrte. Der große Mann sagte: „Nur langsam, und sehen Sie das hier an." Gaffs Hand war hinter dem

Plattenstapel hervorgekommen. Sie hielt einen Fünfundvierziger Colt. Zwischen den Zähnen zischte er: „Ich habe Hoteldetektive immer für eine Bande billiger Schwindler gehalten. In Ihnen habe ich mich anscheinend geirrt. Sie scheinen ein bißchen Verstand zu haben. Teufel, ich wette, Sie sind sogar nach Court Street 118 gelaufen. Stimmt's?"

Steve ließ seine leere Hand fallen und sah direkt auf den großen Colt. „Stimmt. Ich sah das Mädchen. Tot, mit den Abdrücken Ihrer Finger auf dem Hals. Die Fingerabdrücke kann man erkennen. Es war ein Fehler, Dolores Chiozzas Mädchen auf die gleiche Weise umzubringen. Die Polizei wird die beiden Abdrücke miteinander vergleichen und feststellen, daß Ihre schwarzhaarige Amsel mit der Pistole gestern nacht im Carlton gewesen war, und sie wird die ganze Geschichte Stück für Stück aufdecken. Mit den Informationen, die sie im Hotel bekommt, kann sie nicht fehlgehen. Ich gebe Ihnen höchstens zwei Wochen, wenn Sie schnell verschwinden. Damit meine ich wirklich schnell."

Millar leckte seine trockenen Lippen und sagte leise: „Wir haben keine Eile, Steve, nicht im geringsten. Unsere Arbeit ist getan. Vielleicht nicht sehr gut, vielleicht auch nicht sehr sauber, aber es war auch keine saubere Arbeit. – Leopardi war eine Type von der übelsten Sorte. Wir liebten unsere Schwester, und er hat eine Schlampe aus ihr gemacht. Sie war ein gutgläubiges Kind und fiel auf diesen widerlichen Schurken herein, und dann ließ er sie sitzen, warf sie weg, weil ihm ein rothaariger Nachtvogel besser gefiel. Er warf sie fort und brach ihr das Herz. Und sie tötete sich."

„Ja", sagte Steve rauh. „Und was habt ihr die ganze Zeit getan? Eure Nägel manikürt?"

„Wir waren damals nicht bei ihr. Es dauerte einige Zeit, bis wir alles herausbekommen hatten."

„Darum mußtet ihr vier Menschen ermorden", sagte Steve. „Und Dolores Chiozza — sie hätte sich nicht die Füße an Leopardi abgeputzt. Damals nicht und niemals. Aber ihr mußtet sie mit hereinziehen, in euren elenden, niedrigen Rachemord. Du machst mich krank, George. Sag deinem großen starken Bruder, er kann seine Mordserie fortsetzen."

Gaff Talley grinste und sagte: „Weibergeschwätz, George. Sieh nach, ob er eine Waffe hat. Und stell dich nicht vor oder hinter ihn. Die Kanone hier schlägt glatt durch zwei."

Steve starrte auf den Colt des großen Mannes. Sein Gesicht war so hart wie blanker Knochen. Auf seinen Lippen stand dünner eisiger Hohn, und seine Augen waren kalt und dunkel.

Millar bewegte sich leise in seinen pelzgefütterten Hausschuhen. Er kam um das Ende des Tisches herum, trat nahe an Steve heran, streckte eine Hand aus, um seine Taschen abzuklopfen. Er trat zurück und zeigte: „Da drin."

Leise sagte Steve: „Ich muß verrückt sein. Ich hätte dich jetzt erwischen können, George."

Gaff Talley bellte: „Bleib von ihm weg." Er kam mit festen Schritten durch das Zimmer und legte den großen Colt hart gegen Steves Magen. Mit der Linken zog er den Detective Special aus Steves Innentasche. Sein Blick war scharf auf Steves Augen gerichtet. Er hielt Steves Waffe hinter sich. „Nimm sie, George."

Millar nahm den Revolver, trat hinter den großen Tisch und blieb an der Ecke stehen. Gaff Talley zog sich von Steve zurück. „Jetzt ist es für Sie aus, Klugschwätzer", sagte er. „Das ist Ihnen doch klar. Aus diesen Bergen führen nur zwei Straßen heraus. Und wir brauchen Zeit. Vielleicht haben Sie keinem gesagt, wo Sie hin sind. Verstanden?"

Steve stand wie ein Stein. Sein Gesicht war weiß, ein verkrampftes, halbes Lächeln spielte um seine Mundwinkel. Er starrte fest auf die Waffe des großen Mannes, und sein Blick war etwas verwundert.

Millar fragte: „Muß das denn sein, Gaff?" Seine Stimme war jetzt ein tonloses Krächzen, hatte nichts von ihrer angenehmen Heiserkeit.

Steve drehte ein wenig den Kopf und sah Millar an. „Natürlich muß es sein, George. Billigen Halunken bleibt nichts anderes übrig, niedrigen Sadisten wie ihr, die die Rächer einer beleidigten Mädchenehre spielen, wie Hinterwäldler. Aber schon in diesem Augenblick seid ihr praktisch kalt, kalt und verfault."

Gaff Talley lachte und spannte den großen Revolver mit dem Daumen. „Bete, Kerl", höhnte er.

Steve sagte grimmig. „Warum glauben Sie, daß Sie mich mit dem

Ding da umlegen können? Der ist ja gar nicht geladen, Talley. Warum versuchen Sie es nicht so wie bei den Frauen? Mit Ihren Händen."

Der große Mann blickte auf die Waffe. Seine Augen kniffen sich zusammen. Dann lachte er dröhnend. „Ja, der Staub muß zentimeterdick drinsitzen", johlte er. Er richtete den großen Revolver auf den Boden und drückte ab. Der Schlagbolzen klickte trocken auf eine leere Kammer. Sein Gesicht verzerrte sich.

Einen Augenblick standen alle drei regungslos. Dann drehte Gaff sich langsam seinem Bruder zu und sah ihn an. Fast sanft fragte er: „Warst du das, George?"

Millar leckte sich die Lippen und schluckte. Er mußte erst ein paarmal den Mund auf- und zumachen, ehe er sprechen konnte.

„Ja, Gaff, ich. Ich stand am Fenster, als Steve unten auf der Straße aus seinem Wagen stieg. Ich sah ihn in die Garage gehen. Ich wußte, daß der Wagen noch warm war. Es ist genug getötet worden, Gaff. Schon zuviel. Darum nahm ich die Patronen heraus."

Millars Daumen spannte den Hahn an der Detective Special. Gaffs Augen quollen vor. Er starrte gebannt auf den kurzläufigen Revolver. Dann sprang er wild vor, schlug mit dem ungeladenen Colt danach. Millar richtete sich auf. Er blieb völlig ruhig und sagte mit der dünnen Stimme eines alten Mannes: „Leb wohl, Gaff."

Die Waffe zuckte in seiner kleinen gepflegten Hand dreimal auf. Rauch strömte träge aus ihrer Mündung. Ein Holzklotz aus dem Feuer rollte prasselnd aus dem Kamin.

Gaff Talley lächelte seltsam, beugte sich vor, stand völlig ruhig. Sein Colt polterte ihm vor die Füße. Er legte seine großen schweren Hände vor den Leib, sagte langsam und mühsam: „In Ordnung, Junge. Alles in Ordnung, glaube ich ... ich glaube, ich ..."

Seine Stimme versagte, und seine Beine knickten unter ihm ein. Steve machte drei lange lautlose Schritte und schlug hart gegen Millars Kinn. Der große Mann fiel immer noch, so langsam wie ein Baum fällt.

Millar taumelte durch das Zimmer, stieß gegen die Wand. Ein blau=

weißer Teller fiel von einem Bord und zersplitterte. Die Waffe flog ihm aus der Hand. Steve sprang danach, richtete sich wieder auf. Millar beugte sich vor und beobachtete seinen Bruder. Gaff Talley legte seinen Kopf auf den Boden, spreizte seine Hände, lag dann still auf dem Bauch wie ein Mann, der sehr müde ist. Er gab keinen Ton mehr von sich.

Hinter den Fenstern blinzelte das Tageslicht durch die Ritzen zwischen den Vorhängen. Der Holzklotz lag rauchend vor der Feuerstelle, und der Rest des Feuers war ein Haufen weicher grauer Asche mit einem glühenden Kern in der Mitte.

Bedrückt murmelte Steve: „Du hast mir das Leben gerettet, George. Mindestens hast du verhindert, daß noch mehr geschossen wurde. Ich habe das riskiert, weil ich Beweise haben wollte. Geh dort an den Schreibtisch und schreibe alles auf und unterschreibe es."

„Ist er tot?" fragte Millar.

„Er ist tot, George. Du hast ihn getötet. Schreibe das auch."

Millar sagte ruhig: „Es lief alles falsch. Ich wollte Leopardi selbst umbringen, mit meinen eigenen Händen, als er den höchsten Gipfel erreicht hatte und am tiefsten fallen mußte. Ihn nur umbringen und alles andere hinnehmen, was kommen mußte. Aber Gaff wollte es raffiniert anfangen. Gaff, der zähe Bursche, der nie eine Schule besucht hat und nie in seinem Leben einem Schlag ausgewichen ist. Er wollte alles vorausberechnen. Vielleicht ist er deshalb zu einem Vermögen gekommen. Das Apartmenthaus in der Court Street zum Beispiel, das Jake Stoyanoff für ihn verwaltet hat. Ich weiß nicht, wie er an Dolores Chiozzas Mädchen herankam. Es ist auch nicht mehr wichtig."

„Setz dich hin und schreibe es auf", sagte Steve. „Warst du es, der Leopardi anrief und so tat, als sei er das Mädchen?"

Millar antwortete: „Ja. Ich will alles niederschreiben, Steve. Ich werde es unterschreiben, und dann wirst du mich gehen lassen. Eine Stunde gibst du mir, nicht wahr, Steve? Nur eine Stunde Vorsprung. Das ist von einem alten Freund doch nicht zuviel verlangt, Steve?"

Millar lächelte. Es war ein kleines, schwaches, gespenstisches Lächeln. Steve kniete neben den großen Mann auf dem Boden nieder und tastete nach dessen Halsschlagader. Er blickte auf: „Er ist tot ... Ja, du kannst eine Stunde Vorsprung haben, George — wenn du alles niedergeschrieben hast."

Millar ging zögernd zu dem großen eichenen, mit polierten Messingnägeln beschlagenen Sekretär. Er öffnete die Klappe, setzte sich und griff nach einer Feder. Er schraubte den Deckel von einer Tintenflasche ab und begann in seiner sauberen, deutlichen Buchhalterhandschrift zu schreiben.

Steve Grayce setzte sich vor das Feuer, zündete sich eine Zigarette an und starrte in die Asche. In der linken Hand hielt er die Waffe auf seinen Knien. Draußen vor der Hütte begannen die Vögel zu zwitschern. Drinnen war außer dem Kratzen der Feder kein Geräusch zu hören.

IX

Die Sonne stand schon hoch, als Steve die Hütte verließ, die Tür verschloß, den steilen Pfad hinabstieg und über die schmale Schotterstraße zu seinem Wagen ging. Die Garage war jetzt leer. Der graue Sedan war fort. Eine halbe Meile entfernt zog von einer anderen Hütte Rauch träge über die Fichten und Eichen. Er ließ seinen Wagen an, fuhr um eine Kurve, an zwei alten Güterwaggons vorbei, die zu Hütten umgebaut waren. Dann kam er auf die Hauptstraße mit dem weißen Streifen in der Mitte und fuhr den Berg hinauf nach Crestline.

Er parkte in der Hauptstraße vor der *Rim-of-the-World Inn*, trank an der Theke eine Tasse Kaffee, schloß sich dann in einer Telefonzelle im Hintergrund des leeren Lokals ein. Von der Fernauskunft ließ er sich Jumbo Walters' Nummer in Los Angeles geben und rief dann den Besitzer des Clubs Shalotte an.

Eine Stimme antwortete seidig: „Hier ist die Wohnung von Mister Walters."

„Hier Steve Grayce. Ich möchte Mister Walters sprechen."

„Einen Augenblick bitte." Ein Knacken, und eine andere Stimme, nicht so weich, sondern viel härter, sagte: „Ja?"

„Steve Grayce hier. Ich will Mister Walters sprechen."

„Tut mir leid, kenne Sie nicht. Es ist noch reichlich früh, Amigo. Um was geht's denn?"

„War er bei Miss Chiozza?"

„Wie?" Eine Pause. „Ah, der Schnüffler. Ich verstehe. Moment mal."

Dann wieder eine andere Stimme, träge, mit der Andeutung eines irischen Akzents: „Sprechen Sie. Hier Walters."

„Ich bin Steve Grayce. Ich bin der Mann –"

„Weiß ich alles. Für die Dame ist gesorgt. Sie schläft, glaube ich. Weiter."

„Ich bin in Crestline, oben an der Arrowhead. Leopardi wurde von zwei Männern ermordet. Der eine ist George Millar, Nachtempfangschef im Carlton-Hotel, der andere sein Bruder, ein früherer Boxer namens Gaff Talley. Talley ist tot – wurde von seinem Bruder erschossen. Millar konnte flüchten. Aber er hinterließ mir ein vollständiges Geständnis mit allen Einzelheiten und unterschrieben."

Walters sagte langsam: „Das ist schnelle Arbeit, junger Mann, wenn Sie nicht vollständig verrückt sind. Am besten kommen Sie schnell her. Warum haben die beiden ihn umgebracht?"

„Sie hatten eine Schwester."

Still wiederholte Walters: „Sie hatten eine Schwester ... Was ist mit dem Mann, der flüchtete? Wir wollen nicht, daß irgendein kleiner Sheriff oder ein reklamelüsterner County Attorney auf große Gedanken kommt und ..."

Steve unterbrach schnell. „Ich glaube nicht, daß Sie sich deswegen zu sorgen brauchen, Mister Walters. Ich glaube, ich weiß, wo er hin ist."

Er frühstückte in dem Gasthaus, nicht weil er hungrig war, sondern weil er sich schwach fühlte. Dann stieg er in seinen Wagen und fuhr den langen sanften Abhang von Crestline nach San Bernardino hinunter, über eine breite gepflasterte Straße, die am Rand des senkrechten Absturzes in das tiefe Tal entlang führte. An manchen Stellen kam die Straße so nahe an die Schlucht, daß ihr Rand durch weiße Zäune gesichert war.

Zwei Meilen hinter Crestline lag die Stelle. Die Straße führte in einer scharfen Kurve um einen Vorsprung des Berges. Am Straßenrand parkten Wagen — verschiedene Privatwagen, ein Polizeiwagen und ein Abschleppwagen. Der weiße Zaun war durchbrochen, und neben der durchbrochenen Stelle standen Menschen und starrten in den Abgrund.

Dreihundert Meter tiefer lag still und zusammengedrückt in der Morgensonne das, was einmal ein grauer Sedan gewesen war.

ZU RAFFINIERTER MORD

I

Der Türsteher des Kilmarnock war an die Einsneunzig. Er trug eine blaßblaue Uniform, und weiße Handschuhe ließen seine Hände riesig erscheinen. Er öffnete die Tür des gelben Taxis so sanft, wie eine alte Jungfer eine Katze streichelt.

Johnny Dalmas stieg aus und wandte sich an den rothaarigen Fahrer. „Fahr besser um die Ecke, um zu warten, Joey."

Der Fahrer nickte, schob den Zahnstocher noch ein bißchen weiter in seinen Mundwinkel und glitt mit seinem Taxi sicher von der weiß abgegrenzten Hotelanfahrt in den Verkehr zurück. Dalmas überquerte den sonnigen Bürgersteig und trat in die riesige, kühle Halle des Kilmarnock. Die Teppiche waren dick und schluckten jedes Geräusch. Die Pagen standen abrufbereit mit verschränkten Armen da, und hinter dem marmornen Empfangstisch amtierten zwei Empfangschefs und blickten streng.

Dalmas ging zu den Fahrstühlen. Er stieg in einen der getäfelten Lifts und sagte: „Endstation, bitte."

Das oberste Geschoß hatte einen kleinen stillen Vorraum mit nur drei Türen, in jeder Wand eine. Dalmas blieb vor der einen stehen und drückte auf die Klingel.

Derek Walden öffnete. Er war um die Fünfundvierzig, wahrscheinlich etwas darüber, und hatte kräftiges, von einem Hauch Grau durchzogenes Haar und ein attraktives, etwas lüsternes Gesicht, das schon schwammig zu werden begann. Er trug einen Morgenmantel mit einem roten Monogramm und hatte ein Glas Whisky in der Hand. Er war bereits angetrunken.

Mit schwerer Zunge sagte er mürrisch: „Ah, Sie sind's. Komm'n Sie 'rein, Dalmas."

Er trat in das Apartment zurück und ließ die Tür offenstehen. Dalmas schloß sie und folgte ihm in einen langen hohen Raum mit einem Balkon an der gegenüberliegenden Seite und links einer Reihe Fenstertüren. Sie führten auf eine Terrasse.

Derek Walden ließ sich in einen braunen und goldenen Sessel an der Wand sinken und streckte seine Beine auf eine Fußbank. Er schwenkte den Whisky in seinem Glas und blickte darauf.

„Was wollen Sie denn jetzt?" fragte er.

Dalmas starrte ihn an, es war etwas grimmig. Nach einem Augenblick antwortete er: „Ich bin gekommen, um Ihnen zu erklären, daß ich Ihren Auftrag niederlege."

Walden trank den Whisky aus und stellte das Glas auf den Tisch. Er fummelte nach einer Zigarette, steckte sie in den Mund und vergaß sie anzuzünden.

„Wirklich?" Seine Stimme war undeutlich, gleichgültig.

Dalmas wandte sich von ihm ab und trat zu einem der Fenster. Es stand offen, davor flatterte eine Markise. Der Verkehrslärm von dem Boulevard unten klang nur sehr gedämpft herauf.

Über die Schulter sagte er: „Meine Ermittlungen führen zu nichts, und zwar nur, weil Sie wollen, daß sie zu nichts führen. Sie wissen genau, weshalb Sie erpreßt werden. Ich nicht. Die Eclipse-Films sind daran interessiert, weil sie einen Haufen Geld in Filmen investierten, die Sie gedreht haben."

„Zum Teufel mit den Eclipse-Films", entgegnete Walden beinahe friedlich.

Dalmas schüttelte den Kopf und drehte sich um. „Von meinem Standpunkt aus nicht. Die Firma zahlt drauf, wenn Sie in eine Lage kommen, mit der die Reklamehaie der Eclipse nicht fertig werden. Sie haben mich beauftragt, weil die Eclipse es von Ihnen verlangt hat. Aber ich vergeude nur meine Zeit. Sie haben mich nicht für einen Cent unterstützt."

Mit einem unangenehmen Ton sagte Walden: „Ich führe es auf meine Weise durch, und ich werde nicht in die geringsten Schwierigkeiten kommen. Ich kann allein verhandeln, wenn ich jemandem etwas abkaufen kann, was wirklich zu haben ist... Und Ihre Aufgabe beschränkt sich darauf, den Herren von der Eclipse deutlich zu machen, daß die Geschichte in guten Händen ist. Ist das klar?"

Dalmas kam ein paar Schritte durch das Zimmer. Er blieb neben dem Tisch stehen, stützte eine Hand neben einen Aschenbecher, der mit von sehr dunklem Lippenrot gefärbten Stummeln gefüllt war. Geistesabwesend sah er darauf hinab.

„Das wurde mir bisher nicht eindeutig erklärt, Walden", entgegnete er kalt.

„Ich hielt Sie für gescheit genug, von selbst dahinterzukommen", antwortete Walden verächtlich. Er beugte sich zur Seite und ließ Whisky in sein Glas plätschern. „Wollen Sie einen Drink?"

„Nein, danke", lehnte Dalmas ab.

Walden fand die kalte Zigarette in seinem Mund und warf sie auf den Boden. „Zum Teufel noch mal", schnarrte er. „Sie sind Privatdetektiv und werden dafür bezahlt, ein paar Wege zu machen, die nichts bedeuten. Das ist für Ihr Gewerbe immer noch ein sehr sauberer Auftrag."

Dalmas sagte: „Bemerkungen dieser Art können Sie sich sparen."

Walden machte eine abrupte, ärgerliche Bewegung. Seine Augen funkelten. Mürrisch zog er die Mundwinkel herab. Er wich Dalmas' hartem Blick aus.

„Ich bin nicht gegen Sie eingenommen", fuhr Dalmas fort. „Aber ich war auch nie für Sie. Sie gehören nicht zu den Leuten, für die ich mich erwärmen kann. Wenn Sie mir gegenüber ehrlich gewesen wären, hätte ich getan, was ich konnte. Dazu bin ich immer noch bereit, aber nicht Ihretwegen. Ich brauche Ihr Geld nicht. Und was den Schatten angeht, den Sie mir angehängt haben, den können Sie jederzeit wieder zurückpfeifen, wenn es Ihnen paßt."

Walden setzte die Füße auf den Boden. Sehr vorsichtig stellte er das Glas auf den Tisch. Sein Gesichtsausdruck war völlig verändert.

„Den Schatten? Das verstehe ich nicht." Er schluckte. „Ich lasse Sie nicht beschatten."

Dalmas starrte ihn nur an. Nach einem Augenblick nickte er. „Na schön. Ich werde ihm das nächstemal nachgehen, und dann wird sich finden, ob er mir nicht verrät, in wessen Auftrag er hinter mir herlauert. Ich werde es schon herausbekommen."

Sehr ruhig entgegnete Walden: „Das täte ich an Ihrer Stelle nicht. Sie ... Sie haben es mit Leuten zu tun, die rauh werden können ... Ich weiß, wovon ich rede."

„Davor habe ich keine Angst", antwortete Dalmas gleichmütig. „Wenn das die Leute sind, die Ihr Geld wollen, dann dürften sie schon lange recht rauhe Spiele gewohnt sein."

Er hielt seinen Hut vor sich hin und betrachtete ihn. Waldens Gesicht schimmerte von Schweiß. Seine Augen sahen krank aus. Er öffnete den Mund, um etwas zu sagen. Die Türklingel hinderte ihn daran. Waldens Blick verfinsterte sich, und er fluchte. Er starrte durch das Zimmer, rührte sich aber nicht.

„Es kommen zu viele Leute her, ohne sich anmelden zu lassen", murrte er ungehalten. „Mein japanischer Boy hat heute frei." Wieder ertönte die Klingel, Walden wollte aufstehen. „Ich sehe nach, wer es ist", sagte Dalmas, „ich gehe ohnehin."

Er nickte Walden zu, ging durch das Zimmer und öffnete die Tür.

Zwei Männer, ihre Waffen schußbereit in den Händen, drangen auf ihn ein. Der eine bohrte Dalmas seine Pistole hart gegen die Rippen und sagte drohend: „Hände hoch, aber schnell! Das ist so ein Überfall, von denen man immer in der Zeitung liest."

Er war dunkel, sah gut aus und schien gut gelaunt. Sein Gesicht war so klar geschnitten wie eine Kamee, fast ohne jede Härte. Er lächelte.

Der andere hinter ihm war untersetzt und hatte sandfarbenes Haar. Er blickte finster. Der Dunkle sagte: „Das ist Waldens Schnüffler, Noddy, kümmere dich um ihn und durchsuche ihn nach einer Knarre."

Noddy, der Mann mit dem sandfarbenen Haar, setzte Dalmas einen kurzläufigen Revolver auf den Magen, und sein Partner stieß mit dem Fuß die Tür hinter sich zu und schlenderte dann unbekümmert zu Walden hinein.

Noddy zog Dalmas' Achtunddreißiger Colt unter dem linken Arm hervor, ging um ihn herum und klopfte ihm die Taschen ab. Er steckte seinen eigenen Revolver weg und nahm Dalmas' Colt in seine Schießhand.

„In Ordnung, Ricchio, der hier ist sauber", sagte er mit grollender Stimme. Dalmas ließ seine Arme sinken, drehte sich um und ging in das Zimmer zurück. Nachdenklich betrachtete er Walden. Walden saß vorgebeugt, mit offenem Mund und dem Ausdruck äußerster Konzentration in den Augen da. Dalmas betrachtete den dunkelhaarigen Banditen und fragte leise: „Sie sind Ricchio?"

Der Dunkle blickte ihn an. „Stellen Sie sich da an die Wand, Süßer, und halten Sie den Mund. Reden tue nur ich hier."

Walden ließ ein heiseres Räuspern hören. Ricchio stand vor ihm, sah freundlich auf ihn hinunter und wirbelte seine Waffe am Abzugbügel um den Zeigefinger.

„Sie lassen sich zuviel Zeit mit Ihren Zahlungen, Walden. Verdammt zuviel Zeit. Um Ihnen das zu sagen, bin ich hergekommen. Ich habe auch Ihren Schnüffler hier im Auge behalten. War das nicht geschickt?"

Ernst und ruhig sagte Dalmas: „War dieser Bursche nicht mal Ihr Bodyguard, Walden — falls er wirklich Ricchio heißt?"

Walden nickte schweigend und leckte sich über die Lippen. Ricchio knurrte Dalmas an: „Lassen Sie das alberne Geschwätz, Schnüffler. Ich sage es Ihnen zum letztenmal!" Er warf ihm einen funkelnden Blick zu, wandte sich dann wieder an Walden und sah auf seine Uhr.

„Es ist acht Minuten nach drei, Walden. Ich denke, ein Mann in Ihrer Stellung kriegt immer noch Geld auf der Bank. Sie haben eine Stunde Zeit, zehntausend anzuschaffen. Genau eine Stunde. Und Ihren Schnüffler hier nehmen wir mit, um mit ihm auszumachen, wie wir den Zaster kriegen."

Wieder nickte Walden, immer noch schweigend. Er legte seine Hände auf die Knie und umklammerte sie, daß die Knöchel weiß hervortraten.

Ricchio fuhr fort: „Wir werden uns an unser Wort halten, Walden. Unser Gewerbe brächte uns keine tote Fliege ein, wenn wir das nicht täten. Und Sie werden das auch tun! Wenn nicht, wacht Ihr Schnüffler irgendwo auf einem Misthaufen auf, das heißt, aufwachen würde er nicht mehr. Kapiert?"

Verächtlich sagte Dalmas: „Und wenn er bezahlt, nehme ich an, laßt ihr mich laufen, damit ich euch zu fassen kriege, was?"

Gelassen antwortete Ricchio, ohne ihn anzusehen: „Dafür gibt es auch eine Lösung. Heute zehntausend, Walden, die nächsten zehn am Montag nächster Woche. Es sei denn, es gibt Schwierigkeiten für uns. Wenn das passiert, werden wir daran auch noch verdienen."

Walden machte eine ziellose, unterwürfige Bewegung mit beiden Händen. „Ich glaube, ich kann es in Ordnung bringen", sagte er schnell.

„Um so besser, dann können wir jetzt gehen."

Ricchio nickte kurz und steckte seine Waffe ein. Er nahm einen braunen Wildlederhandschuh aus seiner Tasche, zog ihn über die rechte Hand, kam herüber und nahm dem Mann mit dem sandfarbenen Haar Dalmas' Colt ab. Er prüfte die Waffe, schob sie in seine Seitentasche und hielt sie dort in seiner behandschuhten Hand.

„Gehen wir", sagte er mit einem Kopfnicken.

Sie verließen den Raum. Derek Walden starrte düster hinter ihnen her.

Der Fahrstuhl war bis auf den Liftboy leer. Im Zwischenstock stiegen sie aus, passierten ein stilles Schreibzimmer, das hinter Fenstern aus farbigem Glas lag, mit Lichtern dahinter, um ihnen die Wirkung von Sonnenschein zu geben. Ricchio ging einen halben Schritt links hinter Dalmas, der mit dem sandfarbenen Haar rechts dicht neben ihm.

Sie stiegen eine teppichbelegte Treppe in eine Kolonnade mit luxuriösen Geschäften hinunter und verließen das Hotel durch einen Seiteneingang. Auf der anderen Straßenseite parkte eine braune Limousine. Der Sandfarbene setzte sich hinter das Steuer, klemmte seinen Revolver unter seinen Oberschenkel und startete den Motor. Ricchio und Dalmas stiegen hinten ein. „Nach Osten über den Boulevard, Noddy", schnarrte Ricchio. „Ich muß nachdenken."

Noddy grunzte. „Großartige Idee", knurrte er über die Schulter zurück, „am hellen Tag mit dem Burschen den Willshire Boulevard hinunterzufahren."

„Fahr schon zu, Kerl."

Der Sandfarbene grunzte noch einmal und fuhr ab, verringerte gleich darauf an der Kreuzung das Tempo. Ein unbesetztes, gelbes Taxi löste sich von der westlichen Straßenseite, schwang mitten im Block herum und schloß sich an. Noddy hielt, bog nach rechts ab und fuhr weiter. Das Taxi tat das gleiche. Ricchio blickte, ohne Interesse zu zeigen, zurück. Auf der Willshire war ziemlich starker Verkehr.

Dalmas lehnte sich in das Polster zurück und sagte nachdenklich: „Warum hat Walden nicht telefoniert, während wir hinunterfuhren?"

Ricchio lächelte ihm zu. Er nahm seinen Hut ab, legte ihn auf seine Knie, zog dann die rechte Hand aus der Tasche und hielt sie mit der Waffe darin unter dem Hut.

„Sie wollen doch nicht etwa, daß wir uns über ihn ärgern?"

„Darum läßt er mich also mit einem Paar Banditen spazierenfahren."

Ricchio lachte kalt. „Eine Spazierfahrt ist das nicht. Wir brauchen Sie bei unserem Geschäft ... Und wir sind keine Banditen, verstanden?"

Dalmas rieb sich mit zwei Fingern das Kinn. Er lächelte leicht, ohne etwas zu sagen. Der Mann mit dem sandfarbenen Haar drehte schnell den Kopf und fragte: „An der Robertson geradeaus weiter?"

„Ja. Ich überlege noch", antwortete Ricchio.

„Was für ein glänzender Verstand", höhnte Noddy.

Ricchio grinste gezwungen und zeigte ebenmäßige weiße Zähne. Einen halben Block weiter wechselte das Licht auf Rot. Noddy beschleunigte die Limousine und stand an der Kreuzung vorn in der ersten Reihe. Das unbesetzte gelbe Taxi glitt links neben ihn. Nicht ganz bis auf die gleiche Höhe. Der Fahrer hatte rotes Haar. Seine Mütze saß schief auf der Seite seines Kopfes, und er pfiff an einem Zahnstocher vorbei vergnügt vor sich hin.

Dalmas zog seine Füße bis an den Sitz zurück und verlagerte sein

Gewicht auf sie. Mit dem Rücken lehnte er sich fest gegen das Polster. Die Verkehrsampel wechselte auf Grün, und die Limousine schoß vor, bremste dann plötzlich ab, um einen Wagen vorbeizulassen, der nach links ausbog. Das gelbe Taxi glitt links vor. Der rothaarige Fahrer, über das Steuer gebeugt, riß seinen Wagen plötzlich nach rechts. Ein mahlendes Kreischen wurde hörbar. Der genietete Kotflügel des Taxis pflügte über den tiefgezogenen Kotflügel der braunen Limousine hinweg und hing über dessen linkem Vorderrad. Beide Wagen kamen zu einem plötzlichen Halt.

Hinter den beiden Wagen quäkten wütend und ungeduldig Hupen.

Dalmas rechte Faust krachte gegen Ricchios Kiefer. Seine linke Hand schloß sich über der Waffe auf Ricchios Knien. Er riß sie an sich, als Ricchio in die Ecke sank. Ricchio wackelte mit dem Kopf und blinzelte. Dalmas glitt von ihm fort und schob seinen Colt an seinen Platz unter dem linken Arm.

Noddy saß ganz ruhig auf dem Vordersitz. Seine rechte Hand streckte sich langsam nach dem Revolver unter seinem Oberschenkel. Dalmas öffnete die Tür der Limousine, stieg aus, warf die Tür zu, machte zwei Schritte und öffnete die Tür des Taxis. Er blieb daneben stehen und beobachtete den Mann mit den sandfarbenen Haaren.

Die Hupen der aufgehaltenen Wagen hinter ihnen bläkten unaufhörlich. Der Fahrer des gelben Taxis stand vor den beiden Wagen und zerrte mit großem Energieaufwand und ohne jeden Erfolg an beiden nach rechts und links. Der Zahnstocher in seinem Mund tanzte auf und ab. Ein Polizist auf einem Motorrad und mit einer bernsteinfarbenen Schutzbrille schlängelte sich durch den Verkehr, besah sich mürrisch die Lage und winkte dem Fahrer zu.

„Steigen Sie ein und stoßen Sie zurück", rief er. „Streiten Sie sich woanders, wer schuld hat. Die Kreuzung hier wird für den Verkehr gebraucht."

Der Taxifahrer grinste, kam um das Vorderteil seines Wagens herum, kletterte hinter das Steuer, schaltete den Rückwärtsgang ein und kroch unter einem wilden Gehupe und Armwinken zentimeterweise zurück. Das Taxi löste sich von der Limousine. Der Mann mit dem sand=

farbenen Haar sah dem Manöver mit hölzernem Gesicht zu. Dalmas stieg in das Taxi und zog die Tür hinter sich zu.

Der motorisierte Polizist zog seine Pfeife, pfiff zweimal gellend und breitete seine Arme von Westen nach Osten aus. Der braune Sedan machte sich über die Kreuzung davon wie eine Katze, hinter der ein Polizeihund her ist.

Das gelbe Taxi folgte. Einen halben Block weiter beugte Dalmas sich vor und klopfte gegen die Scheibe.

„Laß sie fahren, Joey, du holst sie doch nicht ein, und ich brauche sie auch nicht ... Das an der Kreuzung hast du fein gemacht."

Der Rotkopf beugte sein Kinn zu der Öffnung in der Scheibe. „Kleinigkeit, Chef", sagte er grinsend. „Lassen Sie mich das nächstemal was Richtiges zeigen."

II

Zwanzig Minuten vor fünf klingelte das Telefon. Dalmas lag auf dem Rücken auf seinem Bett in seinem Zimmer im Merrivale. Ohne hinzusehen, griff er nach dem Hörer und sagte: „Hallo."

Das Mädchen hatte eine sympathische Stimme, aber sie klang etwas bedrückt. „Hier ist Mianne Crayle. Erinnern Sie sich?"

Dalmas nahm die Zigarette aus dem Mund. „Ja, Miss Crayle."

„Ich wollte Sie bitten, zu Derek Walden zu gehen. Irgend etwas scheint ihn sehr zu bedrücken, und er säuft sich noch blind."

Dalmas sah an dem Telefon vorbei zur Decke. Die Hand mit der Zigarette klopfte einen Wirbel auf dem Bettrand. Langsam sagte er: „Er beantwortet das Telefon nicht, Miss Crayle. Ich habe ein paarmal versucht, ihn anzurufen."

Am anderen Ende der Leitung entstand ein kurzes Schweigen. Dann sagte die Stimme: „Ich habe meinen Schlüssel unter die Türritze geschoben. Das beste wäre, Sie gingen sofort hin."

Dalmas kniff die Augen zusammen. Die Finger seiner rechten Hand erstarrten. Gedehnt erwiderte er: „Das werde ich tun, Miss Crayle. Wo kann ich Sie erreichen?"

„Ich weiß es nicht bestimmt. Wahrscheinlich bei John Sutro. Wir sollten dort hinkommen."

„Geht in Ordnung", sagte Dalmas. Er wartete auf das Klicken in der Leitung, legte dann den Hörer in die Gabel und stellte den Apparat auf den Nachttisch zurück. Er setzte sich auf die Bettkante und starrte ein oder zwei Minuten auf einen Sonnenfleck an der Wand. Dann zuckte er mit den Schultern und erhob sich. Er leerte das Glas, das neben dem Telefon stand, setzte seinen Hut auf, fuhr im Fahrstuhl nach unten und stieg in das zweite Taxi, das vor dem Hotel in der Reihe stand.

„Noch mal zum Kilmarnock, und drück auf die Tube."

Sie brauchten fünfzehn Minuten, um das Kilmarnock zu erreichen.

Der Tanztee ging gerade zu Ende, und in den Straßen um das Hotel suchte eine Unmenge Wagen einen Weg von den drei Eingängen in den Verkehrsstrom zu finden. Dalmas konnte erst einen halben Block weiter aussteigen und ging an Gruppen aufgeregter Debütantinnen und ihrer Begleitung zu dem Kolonnadeneingang des Hotels. Er schritt hindurch, stieg die Treppe in den Zwischenstock hinauf, passierte das stille Schreibzimmer und stieg in einen stark besetzten Fahrstuhl. Sie stiegen alle aus, ehe der Fahrstuhl das Obergeschoß erreichte.

Zweimal drückte Dalmas auf den Klingelknopf an Waldens Tür, ehe er sich niederbeugte und unter die Tür sah. Der feine helle Lichtstreifen wurde von irgend etwas unterbrochen. Er sah zu dem Stockwerksanzeiger des Fahrstuhls, kniete dann nieder und fischte mit der Klinge seines Taschenmessers das Etwas unter der Tür heraus. Es war ein flacher Schlüssel. Er schloß die Tür auf und trat ein ... blieb gebannt stehen — starrte.

In das große Zimmer war der Tod eingedrungen. Langsam ging Dalmas darauf zu, mit vorsichtigen Schritten, den Kopf lauschend vorgereckt. In seinen grauen Augen glimmte ein hartes Licht, und die Kante seines Unterkiefers zeigte sich als eine harte, scharfe Linie, die sich blaß von dem Braun seiner Haut abhob.

Derek Walden war fast lässig in dem braunen und goldenen Sessel zusammengesunken. Sein Mund stand etwas offen. An seiner rechten Schläfe war ein schwärzliches Loch, und über die Seite seines Gesichtes und seines Halses zog sich bis in den weißen Kragen des Hemdes hinein ein Gitterwerk von feinen Blutfäden. Seine rechte Hand ruhte auf dem dicken Teppich, seine Finger hielten eine kleine, schwarze automatische Pistole.

Das Tageslicht in dem Zimmer begann zu verdämmern. Dalmas blieb regungslos vor Derek Walden stehen und sah den Toten lange an. Es war kein Laut zu hören. Die Brise war eingeschlafen, und die Markise vor den Fenstertüren hing schlaff.

Dalmas zog ein Paar dünne Handschuhe aus Schwedenleder aus seiner linken Hüfttasche und streifte sie über. Er kniete neben Walden nieder und löste sanft die Waffe aus dem Griff der schon steif werdenden Finger. Es war eine Zweiunddreißiger, mit einem schwarzen Walnußholzgriff. Er drehte sie um und betrachtete den Griff. Er preßte die Lippen zusammen. Die Nummer war ausgefeilt worden, und die Feilspuren schimmerten schwach neben dem gedämpften Schwarz des brünierten Stahls. Er legte die Pistole auf den Teppich, stand auf, ging zögernd zum Telefon, das am Rand eines niedrigen Tisches neben einer flachen Schale mit Blumen stand.

Er streckte schon die Hand nach dem Hörer aus, berührte ihn dann aber doch nicht. Er ließ seine Hand wieder zurücksinken. Einen Augenblick stand er da, drehte sich wieder um, trat schnell zu Walden und hob die Waffe auf. Er zog das Magazin heraus, warf die Patrone in der Kammer aus, hob sie auf und preßte sie in das Magazin. Mit zwei Fingern der Linken umfaßte er den Lauf, zog das Schloß zurück, drehte den Kammerblock und nahm die Waffe auseinander. Mit dem Griffstück in der Hand trat er zum Fenster. Die zweite Nummer, die sich innen am Griff befand, war nicht ausgefeilt worden.

Schnell setzte er die Waffe wieder zusammen, schob das Magazin in den Griff, lud die Waffe durch und legte sie in Derek Waldens tote Hand zurück. Er zog seine Handschuhe wieder aus und schrieb die Nummer in ein kleines Notizbuch.

Er verließ das Apartment, fuhr im Fahrstuhl hinunter und ging aus dem Hotel. Es war halb sechs, und manche Wagen auf dem Boulevard hatten schon Licht eingeschaltet.

III

Der blonde Mann, der bei Sutro die Tür öffnete, tat es sehr sorgfältig. Die Tür knallte gegen die Wand, und der Blonde saß auf dem Boden, den Türgriff immer noch in der Hand. Ungehalten sagte er: „Mein Gott, ein Erdbeben."

Dalmas sah unbelustigt auf ihn herunter.

„Ist Miss Crayle hier? Oder wissen Sie das nicht?" fragte er.

Der Blonde stand vom Boden auf und stieß die Tür von sich fort. Sie fiel mit einem zweiten lauten Krachen ins Schloß. Ebenso laut erwiderte er: „Alle Welt ist hier, außer dem Kater des Papstes, und der soll noch kommen."

Dalmas nickte. „Dann müssen Sie ja eine großartige Party haben."

Er ging an dem Blonden vorbei durch die Halle, unter einem Bogen hindurch in einen großen altmodischen Raum mit einem eingebauten Porzellanschrank und einem Haufen abgenutzter Möbel. In dem Raum befanden sich sieben oder acht Leute, und alle hatten schon so viel getrunken, daß sie angegangen waren.

Auf dem Boden würfelte ein Mädchen in Shorts und einem grünen Polohemd mit einem Mann im Abendanzug. Ein fetter Kerl mit einem Pincenez sprach streng in ein Spielzeugtelefon. Er sagte gerade: „Fernamt, ich will Sioux City, und machen Sie ein bißchen schnell, Fräulein."

Das Radio plärrte „Sweet Madnes".

Zwei Paare tanzten durch das Zimmer, ohne darauf zu achten, ob sie sich gegenseitig auf die Füße traten oder gegen die Möbel stießen. Ein Mann, der wie Al Smith aussah, tanzte mit einem Drink in der Hand und einem in sich versunkenen Gesicht für sich allein. Eine große weißgesichtige Blondine winkte Dalmas zu und schwappte dabei ihr Glas über. Sie kreischte: „Liebling, daß ich dich hier treffe!"

Dalmas wich ihr in einem Bogen aus und strebte auf eine safran=

farbene Frau zu, die gerade mit einer Flasche Gin in jeder Hand in das Zimmer kam. Sie stellte die Flaschen auf den Flügel und lehnte sich mit angewidertem Gesicht gegen das Instrument. Dalmas trat neben sie und fragte nach Miss Crayle.

Die Safranfarbene nahm eine Zigarette aus einer offenen Dose auf dem Flügel. „Draußen im Hof", sagte sie tonlos.

Dalmas sagte: „Danke, Mrs. Sutro."

Sie starrte ihn verblüfft an. Er ging unter einem weiteren Bogen hindurch in einen verdunkelten Raum mit Korbmöbeln. Eine Tür führte in eine verglaste Veranda und eine weitere zu ein paar Stufen. Unterhalb der Stufen wand sich ein Pfad zu undeutlich erkennbaren Bäumen hin. Dalmas folgte ihm bis zum Rand eines Steilhanges, von dem man einen Ausblick auf den erleuchteten Teil Hollywoods hatte. Am Rand des Abhanges stand eine Steinbank. Mit dem Rücken zum Haus saß dort ein Mädchen. Eine Zigarette glühte in der Dunkelheit. Sie drehte langsam den Kopf und stand auf.

Sie war klein und dunkel und sehr zierlich. Das Rot ihres Lippenstiftes war sehr dunkel; aber es war nicht mehr hell genug, um ihr Gesicht deutlich zu erkennen. Ihre Augen lagen tief im Schatten.

„Ich habe draußen ein Taxi, Miss Crayle. Oder sind Sie mit Ihrem Wagen gekommen?"

„Nein, gehen wir. Hier ist es gräßlich, und ich trinke keinen Gin."

Sie gingen über den Pfad zurück und seitlich um das Haus herum. Durch ein Gittertor erreichten sie die Straße und gingen dann an dem Zaun entlang zu der Stelle, wo das Taxi wartete. Der Fahrer lehnte sich an den Wagen, einen Fuß auf das Trittbrett gestützt. Sie stiegen ein.

Dalmas sagte: „Halte an einem Drugstore. Ich brauche Zigaretten, Joey."

„In Ordnung."

Joey setzte sich ans Steuer und startete. Das Taxi glitt durch die Kurven der steilen Straße hinunter. Auf dem Asphalt stand eine leichte Feuchtigkeit, und von den Hauswänden hallte das wischende Geräusch der Reifen wider.

Nach einer Weile fragte Dalmas: „Um welche Zeit haben Sie Walden verlassen?"

Ohne ihm den Kopf zuzudrehen, antwortete das Mädchen: „Gegen drei Uhr."

„Sagen wir lieber etwas später, Miss Crayle. Um drei Uhr lebte er noch, und um diese Zeit war jemand anders bei ihm."

Das Mädchen gab einen gepreßten, verstörten Laut von sich, der fast wie ein unterdrücktes Schluchzen klang. Dann sagte sie sehr leise: „Ich weiß ... er ist tot." Sie hob ihre behandschuhten Hände und drückte sie gegen die Schläfen.

Dalmas sagte: „Ja. Und wir wollen nicht mehr Theater spielen, als unbedingt nötig ist. Wir müssen es vielleicht ohnehin noch genug."

Sehr langsam sagte sie mit dunkler Stimme: „Als ich hinkam, war er schon tot."

Er sah sie nicht an. Das Taxi fuhr weiter und hielt an einer Ecke mit einem Drugstore. Der Fahrer drehte sich auf seinem Sitz um und sah zurück. Dalmas blickte ihn an, aber sprach zu dem Mädchen: „Sie hätten mir am Telefon mehr sagen sollen. Ich hätte in eine teuflische Lage kommen können. Möglich, daß ich schon tief drinsitze."

Das Mädchen taumelte auf ihrem Sitz und sank nach vorn. Dalmas streckte schnell den Arm vor, fing sie auf und schob sie in das Polster zurück. Ihr Kopf schwankte hin und her, und ihr Mund war wie ein dunkler Riß in ihrem kalkweißen Gesicht. Dalmas stützte sie und faßte nach ihrem Puls. Scharf und grimmig sagte er: „Fahr weiter zu Carli's, Joey. Die Zigaretten haben Zeit. Das Kind hier muß was zu trinken haben, und zwar möglichst schnell."

Joey schaltete den Gang ein und trat aufs Gas.

IV

Carli's war eine kleine Bar am Ende einer Passage zwischen einem Sportgeschäft und einer Leihbücherei. Die Glasscheibe in der Tür war vergittert, und dahinter stand ein Mann, der es aufgegeben hatte, so auszusehen, als ob es wichtig sei, wer hereinkäme.

Dalmas und das Mädchen nahmen in einer kleinen Nische auf harten Bänken hinter von Schleifen gehaltenen Vorhängen Platz. Zwischen den Nischen waren hohe Trennwände. Auf der anderen Seite des Raumes befand sich eine lange Bar und an deren Ende ein großer Musikautomat, in den der Barman hin und wieder eine Münze warf.

Der Kellner stellte zwei kleine Gläser Kognak vor sie auf den Tisch, und Mianne Crayle stürzte ihren mit einem Schluck hinunter. Ihre trüben Augen gewannen wieder etwas Glanz. Sie schälte einen schwarz-weißen Handschuh von ihrer rechten Hand, saß da, spielte mit ihren langen Fingern und starrte vor sich hin. Nach einer Weile kam der Kellner mit zwei Kognak-Sodas wieder.

Als er fort war, begann Mianne Crayle mit leiser, deutlicher Stimme, ohne den Kopf zu heben, zu sprechen. „Ich war nicht die erste Frau in seinem Leben, er hatte Dutzende vor mir. Ich wäre auch nicht seine letzte gewesen. Nach mir wären noch mehr gekommen. Aber er hatte auch seine anständigen Seiten. Und Sie mögen es glauben oder nicht, er bezahlte mir nicht meine Miete."

Dalmas nickte stumm. Ohne ihn anzusehen, fuhr das Mädchen fort: „In vieler Hinsicht war er ein Schuft. Wenn er nüchtern war, war er tief deprimiert, und wenn er betrunken war, wurde er niederträchtig. Wenn er einen kleinen Schwips hatte, konnte er ein prächtiger Kerl sein, und außerdem war er der beste Regisseur für schlüpfrige Filme, den Hollywood je hatte. Er brachte mehr schlüpfrigen Sex durch die Zensur als drei andere zusammen."

Dalmas sagte ohne jeden Ausdruck: „Seine Zeit war vorbei. Schlüpfrige Filme ziehen nicht mehr, und das wußte er genau."

Das Mädchen blickte kurz zu ihm auf, schlug die Augen wieder nieder und trank einen kleinen Schluck aus ihrem Glas. Aus der Tasche ihrer Sportjacke zog sie ein winziges Taschentuch und tupfte sich die Lippen.

Die Gäste hinter der Trennwand in der Nebennische waren sehr laut.

Mianne Crayle sagte: „Wir hatten auf dem Balkon zusammen zu Mittag gegessen. Derek war betrunken und trank immer weiter. Irgend etwas beschäftigte ihn. Etwas, worüber er sich große Sorgen machte."

Dalmas lächelte schwach. „Vielleicht die zwanzigtausend, die jemand aus ihm herauszuquetschen versuchte. Oder hat er Ihnen davon nichts gesagt?"

„Das könnte es gewesen sein. Derek vermied es, über Geld zu sprechen."

„Sein Trinken hat ihn viel gekostet", meinte Dalmas trocken. „Und auch die Motorjacht, mit der er so gern in — da im Süden herumkreuzte."

Das Mädchen hob mit einem schnellen Ruck den Kopf. In ihren dunklen Augen leuchtete es schmerzlich. Zögernd sagte sie: „Er kaufte seine ganzen Getränke in Ensenada und schaffte sie selbst her. Er mußte sehr vorsichtig sein, bei den Mengen, die er verbrauchte."

Dalmas nickte. Ein kaltes Lächeln spielte um seine Mundwinkel. Er trank sein Glas aus und nahm eine Zigarette zwischen die Lippen, wühlte in seinen Taschen nach Streichhölzern. Der Streichholzhalter auf dem Tisch war leer.

„Erzählen Sie weiter, Miss Crayle", forderte er sie auf.

„Wir gingen in das Apartment zurück. Er holte zwei frische Flaschen und sagte, er wolle sich betrinken ... Dann stritten wir uns ... ich konnte es nicht länger ertragen. Ich lief fort. Als ich zu Hause war, begann ich mir Sorgen zu machen. Ich rief ihn an, aber er kam nicht ans Telefon. Schließlich ging ich zurück ... ich öffnete mir die Tür selbst mit dem Schlüssel, den ich hatte ... und fand ihn tot in dem Sessel."

Nach einem Augenblick fragte Dalmas: „Warum haben Sie mir davon nichts am Telefon gesagt?"

Sie preßte die Handflächen zusammen und sagte sehr leise: „Ich hatte furchtbare Angst. Und es war da etwas, das war ... falsch."

Dalmas lehnte den Kopf gegen die Trennwand und musterte sie aus halbgeschlossenen Augen.

„Es ist diese alte Geschichte", sagte sie zögernd. „Ich schäme mich beinahe, es auszusprechen. Aber Derek Walden war Linkshänder ... Ich muß das doch wissen, nicht wahr?"

Dalmas sagte sehr gedehnt: „Das muß eine ganze Menge Leute gewußt haben, aber vielleicht war einer dabei, der es vergessen hatte."

Er starrte auf Mianne Crayles leeren Handschuh. Sie drehte ihn zwischen den Fingern.

„Walden war also Linkshänder", sagte er langsam. „Das bedeutet: er hat sich nicht selbst erschossen. Er hielt die Waffe in der Rechten. Anzeichen eines Kampfes waren nicht zu entdecken, und der Einschuß an der Schläfe war von Pulver verbrannt und sah so aus, als ob der Schuß aus dem richtigen Winkel abgefeuert wurde. Das beweist: Wer ihn auch erschossen hat, es war jemand, den er gut kannte und der ohne weiteres nahe an ihn herankommen konnte — oder er war bis zur Bewußtlosigkeit betrunken. Und in diesem Falle mußte der Täter einen Schlüssel zu seinem Apartment besitzen."

Mianne Crayle schob den Handschuh von sich fort. Sie krampfte die Hände zusammen. „Sie brauchen nicht deutlicher zu werden", sagte sie gequält. „Ich weiß, daß die Polizei denken wird, ich hätte es getan. Aber ich war es nicht! Ich habe den armen Narren geliebt, ob Sie es glauben oder nicht."

Ungerührt antwortete Dalmas: „Sie könnten es gewesen sein, Miss Crayle. Jedenfalls wird man Sie verdächtigen. Oder glauben Sie nicht? Und Sie könnten raffiniert genug sein, sich nachher genauso zu verhalten, wie Sie es taten. Auch das wird man denken."

„Das wäre nicht raffiniert", erwiderte sie bitter, „das wäre zu raffiniert."

„Ein zu raffinierter Mord." Dalmas lachte ergrimmt. „Gar nicht schlecht." Er fuhr sich mit den Fingern durch sein kurzes Haar. „Nein, ich glaube nicht, daß man es Ihnen anhängen kann. Vielleicht wird die Polizei auch nicht erfahren, daß er linkshändig war ... Solange nicht jemand die Möglichkeit hat, herauszufinden, was alles dahintersteckt."

Er beugte sich etwas über den Tisch, legte seine Hände auf die Kante und stand auf. Seine zusammengekniffenen Augen waren nachdenklich auf ihr Gesicht gerichtet.

„Da ist ein Mann im Headquarter, der mir vielleicht eine Chance gibt. Er ist durch und durch Polizist, aber er ist schon alt und kümmert sich einen Dreck darum, was die Öffentlichkeit von ihm erfährt. Wenn

Sie mit mir zu ihm gehen und ihm die Geschichte erzählen und es ihm überlassen, sich ein Urteil über sie zu bilden, kann er den Fall vielleicht ein paar Stunden hinhalten, ehe die Zeitungen informiert werden."

Er betrachtete sie forschend. Sie zog ihren Handschuh über die Hand und sagte knapp und entschlossen: „Gehen wir."

V

Als die Fahrstuhltür im Merrivale zuglitt, legte der große Mann die Zeitung, die er vor sein Gesicht gehalten hatte, nieder und gähnte. Langsam stand er von dem Sofa in der Ecke auf und schlurfte durch die kleine schläfrige Hotelhalle. Er quetschte sich in die letzte Telefonzelle in der Reihe, ließ seine Münze in den Schlitz klirren und wählte mit seinem dicken Zeigefinger, während er lautlos die Zahlen vor sich hin sprach.

Nach einer Pause beugte er sich dicht an die Sprechmuschel und sagte: „Hier ist Denny. Ich bin im Merrivale. Unser Mann ist gerade gekommen. Ich hatte ihn unterwegs verloren und bin hierhergefahren, um auf ihn zu warten, bis er zurückkam."

Er hatte eine schwere, etwas schnarrende Stimme. Er lauschte auf die Worte aus dem Hörer, nickte und hängte ein, ohne weiter etwas zu sagen. Er verließ die Zelle und ging zu den Fahrstühlen hinüber. Auf dem Weg dorthin ließ er seinen Zigarrenstummel in eine glasierte Urne mit weißem Sand fallen.

Im Fahrstuhl sagte er: „Zehnte" und nahm seinen Hut ab. Er hatte straffes, schwarzes, von Schweiß leicht feuchtes Haar, ein breites, flaches Gesicht und kleine Augen. Sein Anzug war ungebügelt, aber nicht abgetragen. Er war Atelierdetektiv bei den Eclipse-Films.

Im zehnten Stock ging er durch den trüben Korridor, bog um eine Ecke und klopfte an eine Tür. Von innen waren Schritte zu hören. Die Tür wurde geöffnet. Es war Dalmas, der sie öffnete.

Der große Mann trat ein, ließ seinen Hut beiläufig auf das Bett fallen und setzte sich unaufgefordert in einen Sessel am Fenster.

Er sagte: „Na, alter Junge? Wie ich höre, brauchst du Hilfe."

Dalmas betrachtete ihn einen Augenblick, ohne zu antworten. Dann sagte er langsam stirnrunzelnd: „Ja, vielleicht. Um jemanden zu beschatten. Ich verlangte Collins. Ich dachte, du wärest zu leicht zu entdecken."

Er drehte sich um und ging ins Badezimmer, kam mit zwei Gläsern zurück. Er mixte die Drinks am Schreibtisch und hielt das eine Glas seinem Besucher hin. Der Große trank, schmatzte, stellte sein Glas vor dem offenen Fenster auf die Fensterbank. Er zog eine kurze dicke Zigarre aus seiner Westentasche.

„Collins war nicht da", sagte er, „und ich saß 'rum und zählte meine Daumen. Darum gab mir der Chef den Auftrag. Ist es Fußarbeit, Lauferei?"

„Weiß ich noch nicht", antwortete Dalmas gleichgültig.

„Wenn ich jemanden mit dem Wagen verfolgen soll, ist es in Ordnung. Ich bin mit meinem kleinen Coupé hier."

Dalmas nahm sein Glas und setzte sich auf den Bettrand. Er starrte den großen Mann mit einem schwachen Lächeln an. Der Große biß die Spitze seiner Zigarre ab und spuckte sie aus. Dann beugte er sich vor, hob das Tabakstückchen auf, betrachtete es und warf es aus dem Fenster.

„Es ist eine schöne Nacht", sagte er. „Ein bißchen warm für die Jahreszeit."

Dalmas fragte langsam: „Wie gut kennst du Derek Walden, Denny?"

Denny blickte aus dem Fenster. Der Himmel war von einem leichten Dunst bedeckt, und der Widerschein eines roten Neonlichtes hinter einem Gebäude in der Nähe sah wie ein Feuer aus.

„Ich weiß nicht, was du unter Kennen verstehst", antwortete er. „Ich habe ihn ein paarmal gesehen. Ich weiß, daß er einer von der Bande ist, die einen Haufen Geld macht."

„Dann wird es dich nicht umwerfen, wenn du erfährst, daß er tot ist", meinte Dalmas gleichmütig.

Denny drehte sich ihm langsam zu. Die Zigarre, noch unangezündet, bewegte sich in seinem breiten Mund auf und ab. Die Nachricht schien ihn nicht sonderlich zu berühren.

Dalmas fuhr fort: „Es ist eine komische Geschichte. Eine Erpresserbande hatte ihn in den Klauen. Jetzt sieht es so aus, als hätten sie die Kuh geschlachtet, die sie melken wollten. Jedenfalls ist er tot. Mit einem Loch in seinem Kopf und einer Pistole in der Hand. Heute nachmittag ist es passiert."

Denny öffnete seine kleinen Augen etwas weiter. Dalmas schlürfte an seinem Drink und stützte das Glas auf seinem Oberschenkel.

„Seine Freundin fand ihn. Sie besaß einen Schlüssel zu Waldens Apartment im Kilmarnock. Sein japanischer Boy war fort, eine andere Hilfe hat er nicht. Die Puppe hat niemandem was erzählt. Sie machte, daß sie fort kam, und rief mich an. Ich ging dann hin ... Ich habe auch niemandem was gesagt."

Sehr langsam sagte der Große: „Du lieber Himmel. Die Polizei wird es dir anhängen, und dann ist Pause, alter Freund. Das kann nicht gut gehen."

Dalmas blickte ihn an, wandte dann den Kopf ab und betrachtete ein Bild an der Wand. Kalt erwiderte er: „Ich riskiere es — und du wirst mir helfen. Wir haben einen Auftrag, und hinter uns steht ein ziemlich mächtiges Unternehmen, für das es dabei um eine ganze Menge geht."

„Und wie denkst du dir das?" fragte Denny grimmig. Er sah nicht sehr erfreut aus.

„Das Mädchen glaubt nicht, daß Walden Selbstmord beging, Denny. Ich glaube es auch nicht, und ich habe einen Ansatz zu einer Spur. Aber wir müssen schnell handeln, denn für die Polizei ist die Spur genauso gut wie für uns. Ich hatte nicht erwartet, daß ich ihr gleich nachgehen könnte, aber ich habe Glück gehabt."

Denny meinte: „Soso. Aber sei nicht zu gescheit. Ich bin ein langsamer Denker."

Er riß ein Streichholz an und entzündete endlich seine Zigarre. Seine Hand zitterte ein bißchen.

Dalmas antwortete: „Es ist nicht sehr gerissen. In gewisser Weise ist es sogar dumm. Von der Waffe, mit der Walden getötet wurde, ist die Nummer abgefeilt worden. Ich nahm sie auseinander und fand die innere Nummer unbeschädigt. Im Headquarter sind die Nummern lizenzierter Waffen aufgezeichnet."

„Und du bist einfach hingegangen, hast danach gefragt, und sie haben dir die Auskunft gegeben?" fragte Denny unwillig. „Wenn sie Walden finden und dieser Spur selbst nachgehen, werden die Bullen dir ewig dankbar sein, daß du ihnen nichts gesagt hast, sondern ihnen zuvorkommen wolltest." Er stieß ein krächzendes Grunzen aus.

„Immer mit der Ruhe, mein Junge. Der Mann, der für mich im Waffenregister nachsah, geht in Ordnung. Darüber brauche ich mir keine Sorgen zu machen."

„Den Teufel brauchst du. Und was soll ein Mann wie Walden mit einer Waffe, an der die Nummer abgefeilt ist? Das ist doch strafbar."

Dalmas leerte seinen Drink und trug das Glas zum Schreibtisch. Er hielt die Whiskyflasche hoch. Denny schüttelte den Kopf. Er sah sehr verdrießlich aus.

„Wenn ihm die Waffe gehörte, besteht die Möglichkeit, daß er das gar nicht wußte, Denny. Es kann aber auch sein, daß es nicht seine Waffe war. Wenn sie von dem Mörder stammt, dann ist der Mörder ein Amateur. Ein Professioneller gäbe sich nie mit so einem Ding ab."

Langsam fragte der große Mann: „Nun gut. Und was hast du über die Knarre erfahren?"

Dalmas setzte sich wieder auf das Bett. Er grub eine Packung Zigaretten aus seiner Tasche, zündete eine an und beugte sich vor, um das Streichholz aus dem offenen Fenster zu werfen. Er erklärte: „Die Lizenz wurde ungefähr vor einem Jahr an einen Reporter der *Press-Chronicle* namens Dart Burwand ausgegeben. Dieser Burwand wurde im vergangenen April auf der Rampe des Arcade Depot umgelegt. Er war im Begriff, die Stadt zu verlassen, aber er schaffte es nicht. Der Fall wurde nie aufgeklärt, aber die Polizei vermutet, daß Burwand einer Gangsterbande auf die Spur gekommen war – ganz wie bei dem Lingle-Mord in Chikago – und versucht hatte, einen ihrer Chefs auszunehmen. Dem hat dieser Einfall nicht gefallen, und er schoß."

Der Große holte tief Luft. Er hatte seine Zigarre ausgehen lassen. Dalmas beobachtete ihn ernst, während er weitersprach. „Das habe ich von Westfalls von der *Press-Chronicle.* Ich bin mit ihm befreundet. Aber ich weiß noch mehr. Diese Waffe wurde an Burwands Frau zurückgegeben — vermutlich. Sie lebt noch hier, draußen an der North Kenmore. Vielleicht sagt sie mir, was sie mit der Pistole angefangen hat. Und vielleicht hängt sie selbst mit irgendeiner Bande zusammen, Denny. In diesem Falle dürfte sie kaum plaudern, sondern, nachdem ich mit ihr gesprochen habe, auf die Idee kommen, jemanden zu besuchen, den wir kennen sollten. Verstehst du, was ich will?"

Denny zündete ein neues Streichholz an und hielt es an das Ende seiner Zigarre. Mit belegter Stimme sagte er: „Du meinst, was ich tun soll? Die Person beschatten, nachdem du versucht hast, sie über die Waffe auszuholen."

„Genau das."

Der Große stand auf und tat, als ob er gähne. „Kann ich machen", grunzte er. „Warum aber dieses ganze Heimlichgetue wegen Walden? Warum willst du die Geschichte nicht den Bullen überlassen? Für uns kann dabei nur herauskommen, daß sie uns im Headquarter die Geschichte übelnehmen."

„Das müssen wir riskieren", erklärte Dalmas nachdrücklich. „Wir wissen nicht, was die Erpresser gegen Walden in der Hand hatten. Und die Filmgesellschaft riskiert zuviel Geld, wenn es durch polizeiliche Ermittlungen bekannt und im ganzen Land in den Schlagzeilen der Zeitungen breitgetreten wird."

„Du redest, als ob Waldens Name wie Valentino buchstabiert würde", erwiderte Denny. „Zum Teufel, der Bursche war nur ein Regisseur. Sie brauchen seinen Namen nur bei ein paar noch nicht angelaufenen Filmen wegzulassen."

„Die rechnen anders", belehrte ihn Dalmas. „Das scheinst du nicht zu kapieren. Vielleicht ist das der Grund, weshalb sie dich nicht beauftragt haben."

„Mir soll's recht sein", entgegnete Denny grob. „Aber ich, ich würde an deiner Stelle keine Rücksicht auf das Mädchen nehmen. Soll es doch an ihr hängenbleiben. Wenn die Polizei nur jemanden hat, dem sie was anhängen kann, ist sie zufrieden."

Er kam zum Bett hinüber, ergriff seinen Hut und stülpte ihn auf den Kopf. „Feine Geschichte", sagte er erbittert. „Wir sollen alles herausfinden, noch ehe die Polizei erfährt, daß Walden überhaupt tot ist." Er machte eine Handbewegung und lachte grimmig. „Wie im Kino."

Dalmas brachte die Whiskyflasche in einer Schublade seines Schreibtisches unter und setzte seinen Hut auf. Er öffnete die Tür und trat beiseite, um Denny herauszulassen. Er schaltete das Licht aus. Es war zehn vor neun.

VI

Die große Blondine sah Dalmas aus grünlichen Augen mit sehr kleinen Pupillen an. Schnell trat er an ihr vorbei ein, ohne daß er sich rasch zu bewegen schien. Mit dem Ellenbogen warf er die Tür hinter sich zu. „Ich bin Privatdetektiv, Mrs. Burwand", sagte er, „und versuche, etwas herauszufinden, wovon Sie vielleicht etwas wissen."

Die Blondine sagte: „Ich heiße Dalton, Helen Dalton. Vergessen Sie den Namen Burwand."

Dalmas lächelte und antwortete: „Entschuldigen Sie, das hätte ich wissen müssen."

Die Blondine zuckte mit den Schultern und ging von der Tür fort. Sie setzte sich auf die Kante eines Sessels, dessen Armlehne ein Brandloch von einer Zigarette zeigte. Der Raum war das Wohnzimmer einer möblierten Wohnung, in dem viel Nippes und Kleinkram aus Warenhäusern verstreut stand. Zwei Stehlampen brannten. Auf dem Boden lagen dicke, mit Volants besetzte Kissen. Eine französische Puppe lehnte gegen den Fuß der einen Lampe, und eine Reihe Romane mit grellen Umschlägen füllte das Sims über dem gasgeheizten Kamin. Höflich sagte Dalmas: „Es ist wegen einer Waffe, die Dart Burwand einmal gehörte", und schwang seinen Hut. „Sie ist in einem Fall aufgetaucht, an dem ich arbeite. Ich versuche, dieser Waffe auf die Spur zu kommen, das heißt, ich möchte wissen, wie lange sie in Ihrem Besitz war."

Helen Dalton kratzte sich am Oberarm. Sie hatte zentimeterlange Fingernägel. Kurz angebunden sagte sie: „Ich habe keine Ahnung, wovon Sie reden."

Dalmas musterte sie scharf und lehnte sich gegen die Wand. Seine Stimme wurde schärfer.

„Vielleicht erinnern Sie sich noch, daß Sie einmal mit Dart Burwand verheiratet waren, der im April umgelegt wurde. Oder ist das schon zu lange her für Sie?"

Die Blonde biß sich auf die Knöchel und fragte spöttisch: „Sie sind wohl ein ganz Scharfer, was?"

„Nur wenn's sein muß. Aber nun schlafen Sie mir nicht von Ihrer letzten Spritze ein."

Helen Dalton richtete sich plötzlich sehr gerade auf. Alles Lasche fiel von ihr ab. Zwischen gespannten Lippen fragte sie: „Weshalb das Geschrei nach der Waffe?"

„Es wurde einer damit umgebracht. Das ist alles", erklärte Dalmas gleichmütig.

Sie starrte ihn an. Nach einem Augenblick sagte sie: „Als ich mal kein Geld hatte, habe ich sie versetzt und nicht mehr ausgelöst. Mein Mann verdiente 60 Dollars in der Woche. Aber nie gab er davon etwas für mich aus. Ich besaß niemals auch nur einen Cent für mich."

Dalmas nickte. „Erinnern Sie sich an den Pfandleiher, zu dem Sie die Pistole brachten? Oder haben Sie vielleicht noch den Pfandschein?" fragte er.

„Nein. Es war irgendeine Pfandleihe in der Main Street. Da ist eine neben der anderen. Den Schein besitze ich auch nicht mehr."

„Das hatte ich erwartet", meinte Dalmas.

Langsam ging er durch das Zimmer, betrachtete die Titel einiger der Bücher auf dem Kaminsims. Er schlenderte weiter bis zu einem kleinen, heruntergeklappten Schreibschrank. Auf der Platte stand ein Foto in einem silbernen Rahmen. Dalmas starrte eine Weile darauf. Langsam drehte er sich um.

„Das mit der Pistole ist sehr schade, Helen. Heute nachmittag ist ein ziemlich bekannter Mann umgebracht worden. Die äußere Nummer der

Waffe war abgefeilt. Wenn Sie das Ding versetzt haben, möchte ich annehmen, daß jemand sie dem Pfandleiher abgekauft hat. Allerdings hätte der die Waffe nicht mit der Feile bearbeitet, wenn er schlau gewesen wäre. Kenner wissen, daß Pistolen innen noch eine Nummer haben. Es war also kein Kenner. Und der Mann, bei dem man sie gefunden hat, hatte nicht nötig, sich eine Pistole bei einem Pfandleiher zu beschaffen."

Die Blondine stand langsam auf. Auf ihren Wangen brannten rote Flecken. Ihre Arme hingen schlaff an ihren Seiten, und sie atmete hörbar. Langsam und mühsam antwortete sie: „Mit mir können Sie nicht Schlitten fahren, Schnüffler. Ich will mit der Polizei nichts zu tun haben, und ich habe ein paar gute Freunde, die mir helfen. Es wäre besser, Sie hauen ab."

Dalmas sah zu dem Bilderrahmen auf der Schreibschrankplatte zurück. „Johnny Sutro sollte sein Foto besser nicht bei jedem beliebigen blonden Stück in der Wohnung herumstehen lassen. Man könnte auf merkwürdige Gedanken kommen."

Auf steifen Beinen ging die Blondine zu dem Schreibschrank und knallte das Foto in eine Schublade. Sie stieß die Schublade heftig zu und lehnte sich mit der Hüfte gegen den Schreibschrank.

„Sie sind auf dem Holzweg, Schnüffler. Der hier heißt nicht Sutro. Und jetzt machen Sie, daß Sie 'rauskommen."

Dalmas lachte unfreundlich. „Ich sah Sie heute nachmittag bei Sutro. Sie waren so betrunken, daß Sie sich nicht mehr erinnern können."

Die Blondine machte eine Bewegung, als wolle sie zur Tür gehen. Sie öffnete sich, und ein Mann trat ein. Er blieb direkt neben der Tür stehen und schob sie langsam zu. Die rechte Hand hielt er in der Tasche eines leichten Tweedmantels. Er war dunkelhäutig, hatte hochgezogene Schultern, wirkte eckig, mit scharfer Nase und spitzem Kinn.

Dalmas sah ihn ruhig an und sagte: „Guten Abend, Stadtrat Sutro."

Der Mann sah an Dalmas vorbei auf die Frau. Er beachtete Dalmas gar nicht. Die Frau sagte verstört: „Der Kerl sagt, er sei Detektiv. Er versuchte, etwas über eine Waffe aus mir herauszupressen, die ich besessen haben soll. Wirf ihn bitte hinaus."

„So, ein Detektiv", meinte Sutro.

Er ging an Dalmas vorbei, ohne ihn anzusehen. Die Blondine wich vor ihm zurück und fiel in einen Sessel. Ihr Gesicht wurde teigig, und ihre Augen zeigten Angst. Sutro blickte einen Moment auf sie hinunter, drehte sich dann um und zog eine kleine Pistole aus der Tasche. Er hielt sie zu Boden gerichtet lose in der Hand.

„Ich habe nicht sehr viel Zeit", sagte er.

„Ich war im Begriff, zu gehen", antwortete Dalmas. Er näherte sich der Tür.

Sutro sagte scharf: „Packen Sie erst einmal aus."

„Gewiß", antwortete Dalmas. Er ging geschmeidig weiter, ohne sich zu beeilen, und stieß die Tür weit auf. Sutros Hand mit der Waffe fuhr hoch. „Machen Sie sich nicht lächerlich", sagte Dalmas nur. „Sie können hier doch keine Schießerei anfangen. Das wissen Sie genau."

Die beiden Männer starrten sich an. Nach ein oder zwei Sekunden schob Sutro die Waffe in die Tasche zurück und fuhr sich mit der Zunge über seine dünnen Lippen. Dalmas sagte: „Miss Dalton besaß einmal eine Waffe, mit der ein Mann getötet wurde — kürzlich erst. Aber sie sagt, daß sie sie schon lange nicht mehr hätte. Mehr wollte ich nicht wissen."

Sutro nickte langsam. In seinen Augen lag ein seltsamer Ausdruck.

„Miss Dalton ist eine Freundin meiner Frau. Ich wünsche nicht, daß sie belästigt wird", erklärte er kalt.

„Sicher, das würden Sie nicht wollen", sagte Dalmas, „aber ein Detektiv, der sich ausweist, ist berechtigt, um eine Auskunft zu bitten. Ich bin hier schließlich nicht eingebrochen."

Sutro betrachtete ihn forschend. „Schon gut. Aber belästigen Sie meine Freunde nicht. Ich gelte hier in der Stadt etwas, und ich kann Ihnen das Leben sauer machen."

Dalmas nickte. Er ging schnell durch die Tür und schloß sie hinter sich. Einen Moment blieb er lauschend stehen. Von innen war kein Laut zu hören. Er zuckte mit den Schultern, schritt durch den Gang, drei Stufen hinunter und durch eine kleine Halle, in der keine Tafel mit Klingelknöpfen vorhanden war. Vor dem Haus blieb er stehen und blickte die Straße entlang. Auf ihren beiden Seiten standen Apartmenthäuser und parkten Wagen. Er ging auf die Lichter des Taxis zu, das auf ihn wartete.

Joey, der rothaarige Fahrer, stand auf dem Bürgersteig vor seinem Wagen. Er rauchte eine Zigarette und starrte über die Straße, anscheinen auf ein großes dunkles Coupé, das mit der linken Seite am Straßenrand parkte. Als Dalmas auf ihn zukam, warf er seine Zigarette fort und kam ihm entgegen.

Rasch sagte er: „Hören Sie, Boss, ich habe mir den Burschen in diesem Cad . . ."

Blasse Flammen blitzten in scharfen Strahlen oberhalb der Tür des Coupés auf. Der Knall der Schüsse schallte laut zwischen den Häuserwänden. Joey taumelte gegen Dalmas. In das Coupé kam Bewegung. Dalmas ließ sich seitwärts auf ein Knie nieder, während sich der Taxifahrer an ihn klammerte. Er versuchte, seine Waffe zu ziehen, aber es gelang ihm nicht. Auf quietschenden Reifen jagte das Coupé um die nächste Ecke, und Joey rutschte an Dalmas Seite herunter und rollte mit dem Rücken auf den Bürgersteig. Er schlug mit den Händen auf das Pflaster, und ein rauhes, schmerzliches Stöhnen drang tief aus seiner Brust.

Wieder quietschten Reifen, und Dalmas richtete sich auf den Knien auf und griff mit der Hand links unter seine Jacke. Er zog die Hand zurück, als ein kleiner Wagen scharf vor ihm bremste und Denny heraussprang, der auf ihn zugelaufen kam.

Dalmas beugte sich über den Fahrer. Das Licht von der Lampe neben dem Eingang zu dem Apartmenthaus ließ vorn auf Joeys Cordjacke Blut erkennen, Blut, das langsam in das Gewebe einsickerte. Joey klappte die Augen auf und zu, wie die Augen eines sterbenden Vogels.

„Hat keinen Zweck, das Coupé zu verfolgen", sagte Denny, „es ist zu schnell."

„Geh ans Telefon und rufe einen Krankenwagen", befahl Dalmas. „Den Jungen hat es bös erwischt. Und dann paß auf das blonde Stück auf."

Der große Mann eilte zu seinem Wagen zurück, sprang hinein und verschwand um die Ecke. Irgendwo öffnete sich ein Fenster, und ein Mann rief herunter. Ein paar Autos hielten an.

Dalmas beugte sich über Joey und murmelte: „Bleib ganz ruhig, alter Junge, ganz ruhig."

VII

Der Inspektor der Mordkommission hieß Weinkassel. Er hatte schütteres, blondes Haar, eisige, blaue Augen und viele Pockennarben. Er saß in einem Drehstuhl, die Füße auf die Kante einer aufgezogenen Schublade gestützt, und hatte das Telefon nahe an seinen Ellenbogen herangezogen. Das Zimmer roch nach Staub und Zigarettenstummeln.

Ein Mann namens Lonergan, ein großer, kräftiger Polizist mit grauem Haar und einem Schnurrbart, stand nahe dem offenen Fenster und starrte mürrisch hinaus.

Weinkassel kaute auf einem Streichholz und musterte Dalmas, der auf der anderen Seite des Schreibtisches saß. „Es wäre besser, wenn Sie reden", sagte er. „Der Taxifahrer kann es nicht. Sie haben hier in der Stadt bei uns viel Glück gehabt und sollten den Bogen nicht überspannen."

Lonergan knurrte: „Der ist zäh, der sagt nichts." Er drehte sich nicht einmal um, als er das sagte.

„Wenn Sie Ihren Senf für sich behielten, würden wir weiterkommen, Lonnie", meinte Weinkassel beiläufig.

Dalmas lächelte schwach und rieb mit seinen Handflächen über die Schreibtischkante. Es gab ein quietschendes Geräusch.

„Was soll ich Ihnen viel sagen?" fragte er. „Es war dunkel, und von dem Mann in dem Coupé konnte ich nichts erkennen. Der Wagen war ein Cadillac, und seine Lichter waren ausgeschaltet. Das habe ich Ihnen alles schon einmal gesagt, Inspektor."

„Das habe ich auch alles schon einmal gehört", murrte Weinkassel. „An der Geschichte stimmt etwas nicht. Sie müssen doch eine Ahnung haben, wer es gewesen sein kann. Es liegt auf der Hand, daß es auf Sie gemünzt war."

„Warum?" fragte Dalmas. „Getroffen wurde der Taxifahrer und nicht ich. Taxifahrer kriegen viel zu sehen. Vielleicht hat irgend jemand etwas mit ihm abzurechnen."

„So einer wie Sie", sagte Lonergan und starrte weiter aus dem Fenster.

Stirnrunzelnd betrachtete Weinkassel Lonergans Rücken und sagte geduldig: „Der Wagen stand draußen, während Sie in dem Haus waren. Der Taxifahrer stand auch draußen. Wenn der Bursche, der geschossen hat, es auf ihn abgesehen hatte, brauchte er nicht zu warten, bis Sie herauskamen."

Dalmas spreizte die Hände und zuckte mit den Schultern. „Sie meinen also, ich wüßte, wer es war?"

„Nicht unbedingt. Wir sind aber der Ansicht, daß Sie uns jemanden nennen könnten, damit wir ihn uns mal ansehen. Bei wem waren Sie denn in dem Haus?"

Dalmas antwortete nicht. Lonergan wandte sich vom Fenster ab, setzte sich auf das Ende des Schreibtisches und baumelte mit den Beinen. Auf seinem flachen Gesicht stand ein zynisches Grinsen. „Packen Sie schon aus, Junge", sagte er fröhlich.

Dalmas wippte auf seinem Stuhl und steckte die Hände in die Hosentaschen. Nachdenklich sah er Weinkassel an. Den grauhaarigen Polizisten behandelte er, als ob er nicht vorhanden sei. Zögernd sagte er: „Ich war im Auftrage eines Klienten da. Sie können mich nicht zwingen, darüber etwas auszusagen."

Weinkassel zuckte mit den Schultern und musterte ihn kühl. Dann nahm er das zerkaute Streichholz aus dem Mund und betrachtete das zerfaserte Ende, ehe er es fortwarf.

„Mir scheint fast, daß Ihr Auftrag etwas mit der Schießerei zu tun hatte", sagte er grimmig. „Dann wäre es mit der Aussageverweigerung vorbei. Oder meinen Sie nicht?"

„Kann schon sein", räumte Dalmas ein, „falls es sich so ergeben sollte. Aber ich müßte mit meinem Klienten sprechen können."

„Also gut. Bis morgen früh haben Sie Zeit. Dann reden Sie oder liefern hier Ihre Lizenz ab, verstanden?"

Dalmas nickte und stand auf. „Das ist nur fair, Inspektor.“

„Heimlichtun ist alles, was ihr Schnüffler könnt“, pöbelte Lonergan grob.

Dalmas nickte Weinkassel zu und verließ das Zimmer. Er ging durch den nackten Gang und über die Stufen zur Eingangshalle. Vor dem Rathaus schritt er die lange Flucht der Betonstufen hinunter, überquerte Spring Street, wo ein blauer, nicht sehr neuer Packard Roadster parkte. Er stieg ein, fuhr um die Ecke, dann durch den Tunnel der Second Street, einen Block weiter und bog nach Westen ab. Im Rückspiegel beobachtete er den Verkehr hinter sich.

In Alvarado ging er in einen Drugstore und rief sein Hotel an. Der Portier nannte ihm eine Nummer, die er anrufen sollte. Er wählte und hörte Dennys schwere Stimme durch die Leitung, der ungeduldig fragte: „Wo bist du gewesen? Ich habe das blonde Stück hier in meiner Wohnung. Sie ist betrunken. Komm zu mir heraus, dann werden wir schon herausbekommen, was du wissen willst.“

Dalmas starrte durch die Glasscheibe der Telefonzelle, ohne etwas zu sehen. Nach einer Pause fragte er langsam: „Die Blonde? Wie kommt denn das?“

„Eine lange Geschichte, Junge. Erzähle ich dir, wenn du hier bist. 14-54 South Livesay. Weißt du, wo das ist?“

„Ich habe einen Stadtplan, ich werde es schon finden“, antwortete Dalmas im gleichen nachdenklichen Ton.

Denny setzte ihm ziemlich umständlich auseinander, wie er fahren solle. Am Ende seiner Erklärung sagte er: „Beeile dich. Sie schläft jetzt, aber sie könnte aufwachen und anfangen, Mord und Totschlag zu schreien.“

„Wo du wohnst, dürfte das kaum auffallen“, erwiderte Dalmas. „Aber ich komme sofort, Denny.“ Er hängte ein und ging zu seinem Wagen. Er zog eine halbe Flasche Bourbon aus der Innentasche an der Tür und trank einen großen Schluck. Dann ließ er den Wagen an und fuhr in Richtung Foxhills ab. Zweimal auf dem Weg hielt er den Wagen an, saß regungslos hinter dem Steuer und dachte nach. Aber beide Male fuhr er weiter.

VIII

Hinter Pico führte die Straße in ein Wohnviertel, das sich zwischen zwei Golfplätzen über ein hügeliges Gelände erstreckte. Die Straße lief am Rande eines Golfplatzes entlang, der durch einen hohen Drahtzaun eingefaßt war. Hier und da lagen auf den Abhängen vereinzelte Bungalows. Nach einer Weile kam eine Senke, in der ein einzelner Bungalow direkt am Straßenrand gegenüber dem Golfplatz stand.

Dalmas fuhr daran vorbei und parkte unter einem riesigen Eukalyptus, dessen Schatten sich scharf von der vom Mond erleuchteten Fahrbahn abhob. Er stieg aus, ging zurück und schlug den betongepflasterten Pfad zu dem Bungalow ein. Das Haus war breit und flach, mit breiten, niedrigen Fenstern quer über die Front. Buschwerk ragte bis zur halben Höhe der Fenster empor. In dem Haus brannte gedämpftes Licht, ein leises Radiogemurmel kam durch die offenen Fenster.

Ein Schatten glitt über die Vorhänge, und die Vordertür wurde geöffnet. Dalmas trat in das Wohnzimmer, das den Vorderteil des Hauses einnahm. Eine schwache Birne brannte in einer Lampe, und die Skalenlämpchen des Rundfunkapparates schimmerten. Der Mond schien hell genug, um das Zimmer zusätzlich zu erleuchten.

Denny hatte seine Jacke ausgezogen und die Hemdsärmel an seinen dicken Armen aufgerollt.

Er sagte: „Sie schläft noch. Ich wecke sie, sobald ich dir erklärt habe, wie ich sie hier herbekam.

„Bist du sicher, daß du nicht verfolgt worden bist?" fragte Dalmas.

„Absolut." Denny spreizte seine große Hand. Dalmas setzte sich in einen Korbstuhl in der Ecke zwischen dem Radio und der Fensterreihe. Er legte seinen Hut auf den Boden, zog die Bourbonflasche heraus und betrachtete sie mißvergnügt.

„Schaff uns was Richtiges zu trinken her, Denny. Ich bin höllisch müde. Gegessen habe ich heute abend auch noch nichts."

„Ich habe einen dreisternigen Martell", antwortete Denny. „Bin gleich wieder da."

Er verließ das Zimmer, und im hinteren Teil des Hauses ging Licht an. Dalmas stellte die Flasche neben seinen Hut auf den Boden und rieb sich mit zwei Fingern über die Stirn. Sein Kopf schmerzte. Kurz darauf ging das Licht hinten wieder aus, und Denny kam mit zwei großen Gläsern zurück.

Der Kognak schmeckte sauber und hart. Denny setzte sich in einen anderen Korbstuhl. In dem halberleuchteten Zimmer sah er sehr groß und dunkel aus. Langsam begann er mit seiner rauhen Stimme zu sprechen.

„Es klingt saublöd, aber es funktionierte tatsächlich. Nachdem die Polizei sich wieder dünngemacht hatte, parkte ich in der Seitenstraße und ging durch den Hintereingang ins Haus. Ich wußte zwar, in welchem Apartment das blonde Stück wohnt, aber ich hatte sie nicht gesehen. Ich dachte mir: versuchst mal einen Bluff und siehst, wie du damit weiterkommst. Ich klopfte also an ihre Tür, aber sie öffnete nicht. Ich konnte hören, wie sie in der Wohnung herumging und wie sie am Telefon wählte. Ich ging durch den Gang zurück und versuchte die Hintertür. Sie ließ sich leicht öffnen, und ich trat ein. Sie wurde durch so einen Riegel geschlossen, die manchmal locker werden und nicht mehr halten, wenn es auch so aussieht."

Dalmas nickte. „Ich verstehe, Denny."

Der große Mann trank von seinem Glas und strich mit dem Rand an seiner Unterlippe auf und ab. Er fuhr fort:

„Sie telefonierte mit einem Mann namens Gayn Donner. Weißt du, wer das ist?"

„Ich habe von ihm gehört", erwiderte Dalmas. „Sie hat also Verbindungen dieser Sorte."

„Sie nannte ihn beim Namen, und es klang, als ob sie wütend sei", sagte Denny. „Dadurch habe ich herausbekommen, wen sie anrief. Donner besitzt dieses Lokal da am Mariposa Canyon Drive, den Mariposa-Club. Du kannst seine Kapelle im Rundfunk hören: Hank Munn and his Boys."

„Ich habe sie schon gehört, Denny", erwiderte Dalmas.

„Nun gut. Als sie den Hörer auflegte, ging ich zu ihr hinein. Sie sah aus, als habe sie geschnupft, schwankte komisch herum und schien nicht zu begreifen, was vorging. Ich sah mich um und fand ein Foto von John Sutro, dem Stadtrat, auf dem Schreibtisch. Das benutzte ich als Köder. Ich erzählte ihr, Sutro wolle, daß sie eine Weile verschwände und daß ich einer seiner Leute sei und sie mitkommen solle. Darauf ist sie hereingefallen. Komisch. Sie wollte was zu trinken. Ich sagte ihr, ich hätte in meinem Wagen eine Flasche. Darauf nahm sie ihren kleinen Hut und einen Mantel."

Leise fragte Dalmas: „Ging es wirklich so leicht?"

„Ja", sagte Denny. Er leerte sein Glas und stellte es irgendwohin. „Im Wagen ließ ich ihr die ganze Flasche, um sie ruhig zu halten, und brachte sie hier heraus. Sie schlief gleich ein, und das ist alles. Was hältst du davon? War's hart im Headquarter?"

„Na, es ging", meinte Dalmas. „Ich konnte ihnen nicht viel vormachen."

„Was Neues von Walden?"

Dalmas schüttelte langsam den Kopf.

„Wahrscheinlich ist der Japs noch nicht nach Hause gekommen."

„Willst du jetzt mit dem Weibsstück sprechen?"

Das Radio spielte einen Walzer. Dalmas hörte einen Moment zu, ehe er antwortete, dann sagte er mit müder Stimme: „Deswegen bin ich doch hergekommen."

Denny stand auf und ging aus dem Zimmer. Es war zu hören, wie eine Tür geöffnet wurde, und dann erklangen gedämpfte Stimmen.

Dalmas zog seine Pistole unter dem Arm hervor und legte sie neben seinen Oberschenkel auf den Sessel.

Die Blondine taumelte etwas zuviel, als sie hereinkam. Sie starrte umher, kicherte und bewegte vage ihre langen Hände. Sie blinzelte Dalmas an, stand einen Moment schwankend da und ließ sich dann in den Sessel gleiten, in dem Denny gesessen hatte. Der große Mann hielt sich nahe bei ihr und lehnte sich gegen einen Rauchtisch, der an der Innenwand stand.

Betrunken sagte sie: „Mein alter Freund, der Schnüffler. He, Sie, wollen Sie einer Dame nicht etwas zu trinken anbieten?"

Dalmas starrte sie ausdruckslos an. Langsam sagte er: „Ist Ihnen doch noch etwas über die Waffe eingefallen? Sie wissen doch, die Pistole, von der wir sprachen, als Johnny Sutro auftauchte. Die mit der abgefeilten Nummer. Die Waffe, die Derek Walden tötete."

Denny richtete sich steif auf. Dann griff er plötzlich nach der Hüfte. Dalmas hob seinen Revolver und stand auf. Denny sah darauf, wurde ruhig und entspannt. Die Frau hatte sich überhaupt nicht bewegt. Aber die Trunkenheit fiel von ihr ab wie totes Laub. Ihr Gesicht war plötzlich gespannt und verbittert.

Dalmas sagte gleichmütig: „Halte deine Hände sichtbar, Denny, und alles ist in Ordnung ... Und jetzt, denke ich, werdet ihr beiden billigen Betrüger auspacken, was ich hier eigentlich soll."

Der große Mann sagte heiser: „Um Himmels willen, was ist in dich gefahren. Ich bekam einen Schreck, als du der Frau den Namen Walden nanntest."

Dalmas grinste. „Das ist schon in Ordnung, Denny. Vielleicht hat sie nie von ihm gehört. Aber jetzt wollen wir das schnell klarkriegen. Ich habe so eine Ahnung, als ob es hier noch Schwierigkeiten gäbe."

„Du bist vollkommen wahnsinnig", schnarrte der große Mann.

Dalmas machte eine leichte Bewegung mit seiner Waffe. Er lehnte sich mit dem Rücken gegen die Seitenwand des Zimmers, beugte sich vor und stellte mit der linken Hand das Radio ab. Dann sagte er verbittert: „Du hast mich verkauft, Denny. Das habe ich schnell entdeckt. Du bist zu groß, um einen zu beschatten, und ich habe dich in der letzten Zeit ein dutzendmal bemerkt, wie du hinter mir herspioniertest. Und als du dich heute abend plötzlich mir aufdrängtest, war ich ziemlich sicher. Nachdem du mir diese komische Geschichte erzählt hast, wie du die Puppe da hierhergelotst hast, war ich ziemlich sicher. Was zum Teufel bildest du dir ein, daß einer, der so lange wie ich am Leben geblieben ist, das Märchen glaubt? Schieß los, Denny. Sei klug und gestehe, für wen du arbeitest. Vielleicht lasse ich dich laufen. Wer bezahlt dich? Donner? Oder Sutro? Oder jemand, den ich nicht kenne? Und warum hier der Hinterhalt, mitten im Wald?"

Die Frau sprang plötzlich auf die Füße und schoß auf ihn zu. Er stieß sie mit seiner freien Hand zurück, und sie setzte sich auf den Boden. Sie kreischte. „Schnapp ihn doch, du großer Klotz, mach ihn fertig!"

Denny regte sich nicht. „Halt den Mund, Schneegans", schnappte Dalmas, „hier macht niemand einen fertig. Wir unterhalten uns nur unter Freunden. Stehen Sie auf. Sie brauchen nicht weiter Ihre Kurven zu zeigen."

Die Blonde erhob sich langsam.

Dennys Gesicht hatte in dem gedämpften Licht einen steinernen, unbeweglichen Ausdruck. Seine Stimme kam mit einem trüben Raspeln. „Ich habe dich verkauft. Es war schweinisch. Nun ist es 'raus. Ich hatte es satt, auf einen Haufen Filmweiber aufzupassen, daß sie sich nicht gegenseitig ihre Lippenstifte klauen ... Du kannst mich ja jetzt umlegen, wenn dir danach ist."

Er regte sich immer noch nicht. Dalmas nickte nachdenklich und fragte wieder: „Wer ist es denn, Denny? Für wen arbeitest du?"

„Ich weiß es nicht", antwortete Denny. „Ich rufe eine Nummer an, bekomme meine Aufträge und berichte in der gleichen Weise. Geld bekomme ich durch die Post. Ich habe versucht, hier den Knoten zu lösen, aber kein Glück gehabt ... Ich glaube nicht, daß sie es auf dich absehen. Und von der Schießerei auf der Straße weiß ich nicht das geringste."

Dalmas starrte ihn an. Gedehnt fragte er: „Du willst mich doch nicht hinhalten ... hier festhalten, Denny? Oder doch?"

Der große Mann hob den Kopf. Im Zimmer wurde es plötzlich völlig still. Draußen hielt ein Wagen. Das schwache Surren des Motors erstarb.

Ein roter Scheinwerfer traf den oberen Teil der Fenster.

Das Licht blendete. Dalmas glitt auf ein Knie, wendete sich sehr schnell zur Seite, wortlos. Dennys rauhe Stimme ertönte in der Stille. „Teufel auch, Polizei."

Der rote Scheinwerfer badete das Drahtgeflecht der Fliegengitter vor den Fenstern in einer rosigen Glut und warf große grelle Farbflecke an die gestrichene Wand des Zimmers. Die Frau stöhnte unterdrückt, und einen Augenblick wurde ihr Gesicht als eine rote Maske sichtbar, ehe sie zu Boden sank. Dalmas spähte in das Licht hinaus, den Kopf so weit wie möglich von der Fensterbank verdeckt. Die Blätter der Büsche erschienen wie schwarze Speerspitzen vor der roten Glut.

Auf dem Betonpfad klangen Schritte.

Eine rauhe Stimme krächzte: „Alles 'raus, Hände überm Kopf."

In dem Haus war eine Bewegung zu hören. Dalmas fuhr mit seiner Pistole herum. Es war überflüssig. Ein Schalter knackte, auf der Veranda leuchtete das Licht auf. Einen Augenblick lang waren im Lichtschein der Lampe zwei Männer in Polizeiuniformen zu sehen, ehe sie im Schatten verschwanden. Der eine trug eine Maschinenpistole, und der andere hatte eine lange Lueger mit einem Spezialmagazin in den Händen.

Dann kam ein knarrendes Geräusch. Denny stand an der Tür und öffnete das Guckloch. Eine Pistole erschien in seiner Hand und knallte.

Etwas Schweres polterte draußen metallen auf den Beton, und ein Mann schwankte vorwärts in den Lichtschein, taumelte wieder ins Dunkle zurück. Er hielt die Hände vor den Leib gedrückt. Eine Mütze mit steifem Schirm fiel und rollte auf den Weg.

Dalmas warf sich flach zu Boden, drückte sich eng an die Wand, als die Maschinenpistole losratterte. Er preßte sein Gesicht auf das Holz der Dielen. Die Frau hinter ihm schrie gellend auf.

Der Feuerstrahl fuhr schnell quer durch das Zimmer, von einem Ende zum anderen und füllte die Luft mit Gipsstaub und Holzsplittern. Von der Wand krachte ein Spiegel herunter. Der scharfe Gestank des Pulvers vermischte sich mit dem sauren Geruch des Gipsstaubes. Es schien sehr lange zu dauern. Etwas fiel über Dalmas' Beine. Er hielt die Augen geschlossen und das Gesicht gegen den Boden gepreßt.

Das abgehackte Knattern brach ab. Der Gipsregen von den Wänden in dem Zimmer hielt an. Eine Stimme grölte: „Wie gefällt euch das, Leute?"

Eine andere Stimme, weiter entfernt, fuhr ärgerlich dazwischen: „Komm schon, hauen wir ab!"

Wieder erklangen Schritte und ein schleifendes Geräusch. Weitere Schritte. Der Motor des Wagens dröhnte auf. Mit lautem Krachen fiel eine Wagentür zu. Reifen quietschten auf dem Schotter der Straße. Das Dröhnen des Motors schwoll an und verklang schnell.

Dalmas erhob sich. In seinen Ohren rauschte es, und seine Nüstern waren ausgedörrt. Er hob seine Waffe vom Boden auf, zog eine kleine Taschenlampe aus der Innentasche und schaltete sie ein. Ihr Strahl durchdrang kaum die staubige Luft. Die Blondine lag mit weit aufgerissenen Augen auf dem Rücken, den Mund zu einer Art Grinsen verzerrt. Sie schluchzte. Dalmas beugte sich über sie. Sie schien nicht getroffen zu sein.

Er ging weiter durch das Zimmer. Er fand seinen Hut unbeschädigt neben einem Sessel, dessen halbe Lehne von den Schüssen abgesägt worden war. Die Bourbonflasche lag neben dem Hut. Er nahm beides an sich. Der Mann mit der Maschinenpistole hatte in Gürtelhöhe quer durch das Zimmer gemäht, hin und her, ohne den Lauf weit genug nach unten zu senken. Dalmas tastete sich weiter und kam zur Tür.

Vor der Tür lag Denny auf den Knien. Er schwankte vor und zurück und hielt seine eine Hand mit der anderen. Zwischen seinen dicken Fingern tropfte Blut.

Dalmas stieß die Tür auf und ging hinaus. Auf dem Betonweg erkannte er eine verschmierte Blutspur, und überall lagen leere Patronenhülsen dicht verstreut. Niemand war zu sehen, nichts war zu hören. Er stand da, während ihm der Puls wie kleine Hämmer in den Schläfen pochte. Die Haut um seine Nase juckte.

Er trank einen Schluck Whisky aus der Flasche, drehte sich um und ging ins Haus zurück. Denny stand jetzt auf den Füßen. Er hatte sein Taschentuch gezogen und wand es um seine blutige Hand. Er sah angeschlagen und wie betrunken aus. Er schwankte auf den Beinen. Dalmas richtete den Strahl der Taschenlampe auf sein Gesicht.

„Sehr verletzt?" fragte er.

„Nein, an der Hand gestreift", sagte der dicke Mann mit belegter Stimme. Seine Finger fummelten ungeschickt mit dem Taschentuch.

„Das blonde Stück ist halb wahnsinnig vor Angst", sagte Dalmas.

„Nun, sie gehört zu deinen Freunden, mein Junge. Feine Gesellschaft, muß ich sagen. Das hatte uns allen dreien gegolten. Du hast sie aus dem Konzept gebracht, als du durch das Guckloch geschossen hast. Dafür bin ich dir wohl etwas schuldig, Denny . . . Der Killer taugte nicht viel."

„Wo gehst du hin?" fragte Denny.

„Was meinst du wohl?"

Denny sah ihn an. „Sutro ist dein Mann", sagte er langsam. „Ich bin fertig mit ihm — hab' die Schnauze voll. Sie sollen alle zum Teufel gehen."

Dalmas trat wieder durch die Tür, ging über den Pfad zur Straße. Er stieg in seinen Wagen und fuhr, ohne Licht einzuschalten, los. Als er eine Strecke gefahren und um verschiedene Ecken gebogen war, schaltete er die Scheinwerfer ein, stieg aus und klopfte den Staub von seinem Anzug.

IX

Schwarze und silberne Vorhänge öffneten sich zu einem auf den Kopf gestellten V vor dem Dunst von Zigaretten- und Zigarrenrauch. Die Messinginstrumente der Tanzkapelle schossen kurze Lichtblitze durch den Nebel. Es roch nach Küche und Schnaps und Parfüm und Puder. Die Tanzfläche lag als ein leerer Fleck bernsteinfarbenen Lichts und wirkte etwas größer als die Badematte eines mittleren Filmstars. Dann begann die Kapelle zu spielen, die Lichter gingen aus, und ein Oberkellner kam die teppichbelegten Stufen hinab und tippte mit einem goldenen Bleistift gegen die Seidenlitze an seiner Hose. Er hatte engstehende, leblose Augen und weißblondes Haar, das über seiner knochigen Stirn auf den Kopf geklebt war.

„Ich würde gern Mister Donner sprechen", sagte Dalmas.

Der Oberkellner klopfte sich mit seinem goldenen Bleistift an die Zähne. „Ich fürchte, er ist beschäftigt. Wie ist Ihr Name?"

„Dalmas. Sagen Sie ihm, ich sei ein spezieller Freund von Johnny Sutro."

„Ich werde es versuchen", sagte der Oberkellner.

Er ging zu einem Wandbrett mit einer Reihe Knöpfen, an dem ein kleines Telefon hing. Er hob es vom Haken, hielt es an sein Ohr und starrte Dalmas mit dem unpersönlichen Ausdruck eines ausgestopften Tieres über die Sprechmuschel an.

„Ich warte in der Halle", sagte Dalmas.

Er ging durch die Vorhänge zurück und schlenderte zur Herrentoilette. Drinnen zog er die Bourbonflasche aus der Tasche und trank den Rest aus, den Kopf weit zurückgelehnt, breitbeinig in der Mitte des mit Fliesen belegten Raumes. Ein dürrer, verschrumpelter Neger in einer weißen Jacke kam auf ihn zugeflattert und sagte ängstlich: „Hier darf nicht getrunken werden, Boss."

Dalmas warf die leere Flasche in den Behälter für gebrauchte Handtücher. Er nahm ein frisches Handtuch von der Glasplatte, wischte sich damit über die Lippen, legte ein Geldstück auf den Rand des Waschbeckens und ging hinaus.

Zu der Toilette führten Doppeltüren. Er lehnte sich gegen die Außentür und nahm eine kleine automatische, etwa zehn Zentimeter lange Pistole aus seiner Westentasche. Mit drei Fingern hielt er sie unter dem Schweißleder seines Hutes fest, trat durch die äußere Tür und schwang den Hut leicht hin und her.

Nach einer Weile kam ein großer Filipino mit seidigem schwarzem Haar in den Vorraum und sah sich um. Dalmas trat auf ihn zu. Der Oberkellner blickte durch die Vorhänge und nickte dem Filipino zu.

Der Filipino sagte zu Dalmas: „Hier entlang, Boss."

Sie gingen durch einen langen stillen Korridor. Die Musik der Tanzkapelle erstarb hinter ihnen. Durch eine offenstehende Tür waren ein paar verlassene, grünbespannte Tische zu sehen. Der Korridor führte im rechten Winkel um eine Ecke, und am Ende schimmerte Licht durch einen offenen Eingang.

Der Filipino unterbrach sich mitten im Schritt und machte eine anmutige, komplizierte Bewegung, bei deren Abschluß er eine große schwarze automatische Pistole in der Hand hielt. Höflich drückte er sie Dalmas gegen die Rippen.

„Muß Sie durchsuchen, Boss. Eine Hausregel bei uns.“

Dalmas stand still und hielt die Hände vom Körper weg. Der Filipino nahm ihm seinen Colt weg und schob ihn in die eigene Tasche. Er klopfte Dalmas' sämtliche Taschen ab, trat von ihm zurück und verwahrte seine eigene Kanone wieder.

Dalmas ließ seine Arme sinken und seinen Hut zu Boden fallen, und die kleine automatische Pistole, die er darin gehalten hatte, richtete sich direkt auf den Bauch des Filipinos. Mit einem erschrockenen Grinsen sah der Filipino auf die Waffe.

Dalmas sagte: „Das war ein Spaß, was? Jetzt bin ich an der Reihe.“ Er schob seinen Colt an die Stelle zurück, an die er gehörte, zog die große Pistole dem Filipino unter dem Arm hervor, ließ das Magazin herausgleiten und warf die Patrone aus, die sich in der Kammer befand. Die entladene Waffe gab er dem Filipino zurück.

„Sie können sie immer noch brauchen, um jemand damit auf den Kopf zu hauen. Wenn Sie mich nicht verraten, braucht Ihr Chef nicht zu erfahren, daß sie zu etwas anderem nicht zu benutzen ist.“

Der Filipino leckte sich die Lippen. Dalmas tastete ihn nach einer weiteren Waffe ab. Dann gingen sie durch den Korridor und traten durch die halb offenstehende Tür. Der Filipino zuerst.

Das Zimmer war groß und hatte diagonal verlaufende Holztäfelung. Ein gelber chinesischer Teppich lag auf dem Boden. Es war mit guten Möbeln reich ausgestattet, eingelassene Türen ließen erkennen, daß sie schalldicht waren, und Fenster gab es nicht. Direkt unter der Decke befanden sich verschiedene Gitter, und ein eingebauter Ventilator ließ ein schwaches, sanftes Surren hören. Vier Männer befanden sich in dem Zimmer. Keiner sagte etwas.

Dalmas setzte sich auf ein Ledersofa und starrte Ricchio an, den eleganten Jungen, der ihn aus Waldens Apartment entführt hatte. Ricchio war auf einem hochlehnigen Stuhl festgebunden. Seine Arme waren hinter der Lehne zusammengebogen und an den Gelenken gefesselt. Seine Augen funkelten, und sein Gesicht war von Blutspuren und Schrammen übersät. Man hatte ihn mit einer Pistole geohrfeigt.

Der Mann mit dem sandfarbenen Haar, Noddy, der mit ihm zusammen ins Kilmarnock gekommen war, hockte auf einer Art Schemel in der Ecke und rauchte.

John Sutro wiegte sich langsam in einem roten Lederschaukelstuhl und starrte auf den Boden. Er blickte nicht auf, als Dalmas in das Zimmer trat.

Der vierte Mann saß hinter einem Schreibtisch, der aussah, als wenn er einen Haufen Geldes gekostet hätte. Er hatte weiches braunes Haar, in der Mitte gescheitelt, nach hinten und nach den Seiten gebürstet, dünne Lippen und rötlichbraune Augen, mit scharfen Lichtern darin. Er beobachtete Dalmas, wie er sich hinsetzte und sich umsah. Als er sprach, blickte er zu Ricchio.

„Der kleine Schuft hatte sich etwas zuviel herausgenommen. Wir haben ihm eine kleine Belehrung zukommen lassen. Es wird Ihnen kaum leid tun."

Dalmas lachte kurz und hart auf. „Mir soll es recht sein, Donner. Aber was ist mit dem anderen in der Ecke? Er hat doch mitgemacht."

„Noddy ist in Ordnung. Der handelte laut Auftrag", sagte Donner gleichmütig. Er nahm eine Nagelfeile mit langem Griff und begann seine Nägel zu pflegen. „Sie und ich, wir haben einiges zu bereden. Deshalb wurden Sie hier hereingelassen. Sie scheinen ganz annehmbar zu sein, solange Sie nicht versuchen, sich in Ihrer Eigenschaft als Privatdetektiv mausig zu machen."

Dalmas öffnete die Augen etwas weiter. „Ich höre, Donner", sagte er.

Sutro hob den Blick und starrte Donners Hinterkopf an. Donner sprach in seiner sanften, gleichgültigen Stimme weiter.

„Ich bin darüber informiert, was bei Derek Walden gespielt wurde, und weiß auch über die Schießerei auf der Kenmore Bescheid. Wenn ich gedacht hätte, daß Ricchio so vorlaut werden kann, hätte ich ihm rechtzeitig auf die Finger geklopft. Wie die Dinge liegen, ist es wohl meine Sache, das alles in Ordnung zu bringen ... Und wenn wir hier fertig sind, wird sich Mister Ricchio auf dem Headquarter melden und seine Geschichte erzählen.

Die Vorgeschichte ist folgende: Ricchio arbeitete einmal für Walden, als bei den Hollywoodgrößen Bodyguards in Mode waren. Walden kaufte seinen Schnaps in Ensenada — das tut er, soviel ich weiß, immer noch — und brachte ihn selbst hierher. Niemand hinderte ihn daran. Ricchio sah darin eine Chance, unbemerkt ein bißchen weißes Pulver hereinzuschaffen. Dabei erwischte ihn Walden. Der wollte aber keinen Skandal und feuerte Ricchio kurzerhand. Ricchio nutzte aus, was er wußte, und versuchte, Walden zu erpressen, weil er überzeugt war, daß Walden zuviel Dreck am Stecken hätte, um sich an die Bundespolizei zu wenden. Walden bezahlte nur nicht ganz so schnell, wie es Ricchio paßte. Darüber wurde der kleine Lump wütend und spielte den starken Mann. Sie und Ihr Fahrer haben ihm sein Spielchen verdorben, und darum hat er auf Sie geschossen."

Donner legte die Feile hin und lächelte. Dalmas hob die Schultern und sah zu dem Filipino, der am Ende des Sofas an der Wand lehnte.

„Ich habe zwar nicht Ihre Organisation hinter mir, Donner, aber einiges erfahre ich doch. Diese Version klingt sehr einleuchtend, und mit ein bißchen Nachhilfe von den richtigen Stellen könnte man im Headquarter damit durchkommen. Aber die Tatsachen, so, wie sie jetzt liegen, geben ein anderes Bild."

Donner zog die Augenbrauen hoch. Sutro begann mit der Spitze seines polierten Schuhes vor seinem Knie auf und ab zu wippen.

„Welche Rolle soll denn Mister Sutro bei der ganzen Geschichte gespielt haben?" fragte Dalmas.

Sutro starrte ihn an und hielt den Fuß still. Er machte eine schnelle, ungeduldige Bewegung. Donner lächelte. „Er ist mit Walden eng befreundet. Walden hat ihm einiges erzählt, und Sutro ist bekannt, daß Ricchio einer meiner Leute ist. Aber als Stadtrat konnte und wollte er Walden nicht alles sagen, was er wußte."

Grimmig entgegnete Dalmas: „Ich will Ihnen sagen, was an Ihrer Version nicht stimmt, Donner. Es ist nicht genug Angst darin. Walden hatte so viel Angst, daß er mir nicht zu helfen wagte, als ich für ihn arbeitete ... Und heute nachmittag hatte jemand so viel Angst vor Walden, daß er ihn erschossen hat."

Donner beugte sich vor und zog die Augen zu schmalen, glitzernden Schlitzen zusammen. Seine Hände ballten sich zu Fäusten.

„Walden ist tot", flüsterte er beinahe.

Dalmas nickte. „In die rechte Schläfe geschossen ... Mit einer Zweiunddreißiger. Es sieht aus wie Selbstmord. Es ist aber keiner."

Sutro hob schnell die Hände und bedeckte sein Gesicht. Der Mann mit dem sandfarbenen Haar in der Ecke richtete sich auf seinem Hocker auf.

Dalmas fragte: „Wollen Sie hören, was ich wirklich vermute, Donner? ... Ich will es mal eine Vermutung nennen ... Walden selbst schmuggelte Rauschgift – und nicht ganz allein. Dann wollte er aussteigen. Nachdem der Küstenwache die Alkoholschmuggler gleichgültig geworden sind, ist der Rauschgiftschmuggel in unserer Gegend riskanter und nicht mehr so rentabel. Außerdem verliebte sich Walden in ein Mädchen, das gute Augen hatte und bis zehn zählen konnte. Deshalb wollte er aus dem Rauschgiftgeschäft aussteigen."

Donner feuchtete sich die Lippen an und fragte: „Welches Rauschgiftgeschäft?"

Dalmas musterte ihn. „Von so was haben Sie natürlich keine Ahnung, Donner, wie? Nein, damit geben Sie sich nicht ab. So was machen nur Halunken. Und den Halunken gefiel Waldens Absicht, auszusteigen, nicht. Er trank zuviel. Vielleicht würde er auch gegenüber seiner Freundin schwatzhaft werden. Sie wollten, daß er auf andere Weise ausstieg – vor dem Lauf einer Waffe."

Donner drehte langsam den Kopf und betrachtete den gebundenen Mann auf dem hochlehnigen Stuhl. Unheimlich leise sagte er: „Ricchio!"

Er stand auf und kam um den Schreibtisch herum. Sutro nahm seine Hände vom Gesicht und beobachtete ihn mit zitternden Lippen.

Donner blieb vor Ricchio stehen. Er streckte seine Hand aus und stieß Ricchios Kopf hart gegen die Stuhllehne. Ricchio stöhnte. Donner lächelte auf ihn hinunter.

„Ich werde anscheinend zu leichtsinnig. Du hast Walden umgebracht, du Schuft. Du bist zurückgegangen und hast ihn erschossen. Das hast du vergessen, uns zu erzählen, Bürschchen."

Ricchio öffnete den Mund und spie Blut über Donners Hand und

Handgelenk. Donners Gesicht verzerrte sich, er trat zurück und ging von ihm fort, seine Hand gerade vor sich ausgestreckt. Er zog ein Taschentuch, wischte sorgfältig das Blut ab und ließ das Tuch achtlos zu Boden fallen.

„Gib mir deine Waffe, Noddy", sagte er ruhig und trat auf den Mann mit dem sandfarbenen Haar zu.

Sutro zuckte zusammen, und sein Mund fiel auf. Seine Augen blickten verstört. Der große Filipino zog blitzartig seine Pistole, als ob er vergessen hätte, daß sie ungeladen war. Noddy nahm einen kurzen plumpen Revolver unter dem rechten Arm heraus und reichte ihn Donner.

Donner nahm ihn und kam zu Ricchio zurück. Er hob die Waffe.

„Ricchio hat Walden nicht getötet", sagte Dalmas.

Der Filipino trat einen schnellen Schritt vor und schlug mit seiner großen Pistole nach ihm. Die Waffe traf Dalmas direkt auf das Schultergelenk, und ein scharfer Schmerz fuhr durch seinen Arm. Rasch drehte er sich ab und hatte seinen Colt in der Hand. Der Filipino schlug wieder nach ihm, traf aber nicht.

Dalmas sprang auf, wich einen Schritt zur Seite und landete mit aller Kraft mit dem Lauf seines Colts einen Schlag über dem linken Ohr des Filipinos. Der Filipino grunzte, setzte sich auf den Boden und zeigte das Weiße in seinen Augen. Langsam sank er nach vorn und versuchte, sich an dem Sofa festzuklammern.

Donners Gesicht war ausdruckslos, und er hielt den kurzen Revolver völlig ruhig. Seine lange Oberlippe war von Schweißperlen bedeckt.

„Ricchio hat Walden nicht getötet", wiederholte Dalmas. „Walden wurde mit einer Waffe erschossen, deren Nummer abgefeilt war, und nachher wurde ihm die Waffe in die Hand gegeben. Ricchio würde sich nie mit einer Pistole abgeben, die mit einer Feile bearbeitet wurde."

Sutros Gesicht wurde geisterhaft bleich. Der Mann mit dem sandfarbenen Haar hatte sich von seinem Hocker erhoben, er stand da und schwang die rechte Hand an seiner Seite hin und her.

„Berichten Sie weiter", forderte Donner ruhig.

„Die Waffe mit der abgefeilten Nummer stammte von einer Frau namens Helen Dalton, oder richtiger Burwand", fuhr Dalmas fort. „Es war ihre Waffe. Sie behauptet, sie hätte sie vor langer Zeit versetzt. Das glaube ich ihr nicht. Sie ist Sutros Freundin. Und als Sutro erfuhr, daß ich zu ihr wollte, war er so erschrocken, daß er mir einen Hinterhalt legen ließ. Warum, glauben Sie, hat er das getan, Donner? Und woher wußte er wohl, daß ich zu dieser Frau gehen wollte?"

„Nur weiter. Sagen Sie alles", drängte Donner. Er musterte Sutro sehr ruhig.

Dalmas trat einen Schritt näher an Donner heran und ließ seinen Colt herunterhängen. „Ich will Ihnen erklären, warum. Seit ich für Walden arbeite, werde ich ständig beschattet, von einem plumpen Ochsen von Atelierdetektiv einer Filmfirma. Ich konnte ihn aus einem Kilometer Abstand entdecken. Er war gekauft, Donner. Der Mann, der Walden ermordete, kaufte sich ihn. Er bildete sich ein, dieser Bursche könne an mich herankommen. Und genau das habe ich ihm erlaubt, um ihm Spielraum zu geben und zu entdecken, was er beabsichtigte. Sein Auftraggeber war Sutro. Sutro hat Walden getötet. Eigenhändig. Danach sah es auch aus: die Pfuscharbeit eines Amateurs. Ein zu raffinierter Mord. Das, was daran raffiniert war, war auch das, was ihn verriet: der vorgetäuschte Selbstmord mit einer Waffe, an der die Nummer abgefeilt war und von der der Mörder glaubte, daß man nicht herausbekommen könne, wo sie herstammte, weil er nicht weiß, daß die meisten Pistolen auch innen eine Nummer haben."

Donner hob den kurzen Revolver, bis er mitten zwischen den Mann mit dem sandfarbenen Haar und Sutro wies. Er sagte kein Wort. Sein Blick war nachdenklich und interessiert.

Dalmas verlagerte sein Gewicht ein wenig auf die Ballen seiner Füße. Der Filipino auf dem Boden streckte eine Hand aus, und seine Nägel kratzten über das Leder des Sofas.

„Das ist noch nicht alles, Donner, es kommt noch mehr. Sutro war Waldens Freund und konnte nahe an ihn herankommen. So nahe, daß er eine Pistole an seinen Kopf halten und abdrücken konnte. Den Schuß, den leisen Knall einer Zweiunddreißiger, konnte im obersten

Stockwerk des Kilmarnock niemand hören. Darauf drückte Sutro dem toten Walden die Waffe in die Hand und verschwand. Aber er hatte nicht daran gedacht, daß Walden Linkshänder war, und er ahnte nicht, daß man der Pistole auf die Spur kommen konnte. Als es aber doch geschah und der von ihm gekaufte Mann ihn darüber informierte und als ich die Frau fand, organisierte er sich ein Mordkommando und fand einen Dreh, uns alle drei in ein Haus in Palms zu bringen, um uns für immer den Mund stopfen zu lassen ... Nur leistete das Mordkommando, wie alle anderen in dieser Angelegenheit, Pfuscharbeit."

Donner nickte langsam. Er betrachtete eine Stelle mitten auf Sutros Bauch und richtete die Waffe auf sie.

„Jetzt erzähl du mal, Johnny", sagte er leise, „erzähle uns, wie du auf deine alten Tage so klug geworden bist."

In den Mann mit dem sandfarbenen Haar kam plötzlich Bewegung. Er schnellte hinter den Schreibtisch, und als er sich niederbeugte, fuhr seine rechte Hand nach seiner anderen Waffe. Hinter dem Schreibtisch knallte sie los. Die Kugel fuhr unter dem Schreibtisch hindurch und schlug mit einem Geräusch in die Wand, als träfe sie hinter der Täfelung auf Metall.

Dalmas riß seinen Colt hoch und schoß zweimal in den Schreibtisch. Ein paar Splitter flogen auf. Der Sandfarbene schrie auf und tauchte mit der flammenden Waffe in der Hand schnell hoch. Donner taumelte. Seine Waffe knallte zweimal sehr schnell. Der Mann mit dem sandfarbenen Haar schrie noch einmal auf. Von seinem Gesicht floß Blut. Er stürzte hinter dem Schreibtisch zusammen und lag bewegungslos.

Donner wich zurück, bis er die Wand berührte. Sutro stand auf, legte die Hände auf den Leib und versuchte zu schreien.

„Also los, Johnny, jetzt bist du an der Reihe", wiederholte Donner.

Dann hustete er plötzlich und rutschte mit einem trockenen Knistern seines Anzuges an der Wand entlang in die Knie. Er beugte sich vor, ließ die Waffe fallen, stützte die Hände auf den Boden und hustete weiter. Sein Gesicht wurde grau.

Sutro stand starr da, die Hände gegen den Leib gepreßt, die Handgelenke durchgedrückt, die Finger klauenartig verkrampft. In seinen

Augen war kein Licht. Es waren tote Augen. Nach einem Augenblick gaben seine Knie nach, und er fiel rücklings auf den Boden.

Donner hustete immer noch leise.

Mit schnellen Schritten ging Dalmas zur Tür, lauschte, öffnete sie und spähte hindurch. Schnell schloß er sie wieder.

„Schallsicher, und wie", murmelte er.

Er ging zum Schreibtisch zurück und nahm das Telefon auf. Er legte seinen Colt aus der Hand, als er wählte, wartete und sprach in das Telefon: „Kommissar Cathcart ... ich muß ihn sprechen ... natürlich ist es dringend ... sehr dringend."

Er wartete, trommelte auf die Schreibtischplatte, blickte mit harten Augen im Zimmer umher. Er fuhr leicht zusammen, als sich eine schläfrige Stimme meldete.

„Hier Dalmas, Chef. Ich bin in der Casa Miraposa, in Gayn Donners Privatbüro. Es hat ein paar Schwierigkeiten gegeben, aber es ist niemand ernstlich verletzt ... Ich habe den Mörder von Derek Walden für Sie ... Es war Johnny Sutro ... Ja, der Stadtrat ... Machen Sie schnell, Chef ... Ich will mich hier nicht noch mit dem Hauspersonal herumschlagen ..."

Er legte den Hörer zurück, nahm seinen Colt von der Schreibtischplatte, hielt ihn auf der flachen Hand und starrte zu Sutro hinüber.

„Steh auf, Johnny", sagte er erschöpft. „Steh auf und erzähle einem armen, dummen Detektiv, wie du hier herauskommst, Klugschwätzer."

X

Die Lampe über dem großen Eichentisch im Headquarter brannte hell. Dalmas strich mit dem Finger über das Holz, betrachtete ihn und wischte ihn an seinem Ärmel ab. Er stützte sein Kinn in seine mageren Hände und starrte über den Rollschrank, der hinter dem Tisch stand, auf eine Stelle an der Wand. Er war allein in dem Zimmer.

Der Lautsprecher an der Wand schnarrte: „Achtung! Achtung! Wagen 71 W im zweiundsiebzigsten Distrikt, in dem Drugstore Ecke Dritte und Berendo ist ein Mann ..."

Die Tür ging auf. Kommissar Cathcart kam herein, schloß die Tür vorsichtig hinter sich. Er war ein großer, verbrauchter Mann mit einem breiten Gesicht, einem fleckigen Schnurrbart und knochigen Händen.

Er setzte sich zwischen den Eichentisch und den Rollschrank und fingerte an einer kalten Pfeife, die im Aschenbecher lag.

Dalmas hob den Kopf zwischen seinen Händen. Cathcart sagte: „Sutro ist tot."

Dalmas blickte ihn schweigend an.

„Seine Frau tat es. Er wollte einen Augenblick zu sich nach Hause. Unsere Leute haben ihn zwar gut bewacht, paßten aber nicht auf sie auf. Sie gab ihm eine Dosis, ehe sie es verhindern konnten."

Cathcart öffnete und schloß zweimal den Mund. Er hatte kräftige, ungepflegte Zähne.

„Sie sagte keinen Ton, zog nur einen kleinen Revolver hinter dem Rücken hervor und gab drei Schüsse auf ihn ab. Eins, zwei, drei — Spiel, Satz und Sieg, genauso. Dann drehte sie die Waffe um, so ordentlich, wie man es sich nur vorstellen kann, und reichte sie einem unserer Leute ... Warum, zum Teufel, hat sie das nur getan?"

Dalmas fragte: „Haben Sie ein Geständnis?"

Cathcart musterte ihn und schob die kalte Pfeife zwischen die Zähne. Geräuschvoll saugte er daran. „Von ihm? Ja, aber nicht schriftlich ... Warum hat sie das nur getan?!"

„Sie wußte von der Blonden", meinte Dalmas. „Sie hielt es für ihre letzte Chance. Vielleicht wußte sie auch von dem Rauschgiftschmuggel."

Der Kommissar nickte langsam. „Natürlich", sagte er, „das muß der Grund sein. Darin sah sie ihre letzte Chance. Und warum sollte sie den Lumpen auch nicht umlegen. Wenn der District Attorney klug ist, läßt er sie sich wegen Totschlags schuldig bekennen. Das bedeutet ungefähr fünfzehn Monate in Tehachapi — ein Erholungsurlaub."

Dalmas regte sich auf seinem Stuhl. Er runzelte die Stirn.

Cathcart fuhr fort: „Es ist für alle ein Glück. An Ihnen bleibt nichts hängen und an der Stadtverwaltung auch nicht. Hätte sie es nicht getan, bekämen alle einen festen Tritt in den Hintern. Man sollte ihr eine Pension aussetzen."

„Die Eclipse-Films sollten ihr einen Vertrag geben", sagte Dalmas. „Als ich Sutro auf die Spur kam, rechnete ich damit, daß ich an seinem Ansehen in der Öffentlichkeit scheitern würde. Ich hätte Sutro selbst umlegen können — wenn er nicht zu feige gewesen wäre — und wenn er nicht Stadtrat gewesen wäre."

„Nichts damit, Jungchen, überlaß das der Polizei", knurrte Cathcart. „Jetzt sieht die Situation folgendermaßen aus: Ich glaube nicht, daß wir Walden als Selbstmord durchkriegen. Die Waffe mit der abgefeilten Nummer spricht dagegen, und wir müssen auf die Obduktion und den Bericht des Waffensachverständigen warten. Der Paraffintest von seinen Händen wird beweisen, daß er den Schuß nicht abgefeuert hat. Andererseits ist der Fall gegen Sutro abgeschlossen, und was noch herauskommen kann, wird niemandem groß schaden. Habe ich recht?"

Dalmas zog eine Zigarette heraus und rollte sie zwischen den Fingern. Langsam zündete er sie an, schwenkte das Streichholz in der Hand, bis es verlosch.

„Walden war kein Unschuldslamm", sagte er. „Wenn die Rauschgiftaffäre herauskommt, ist der Teufel los. Aber die ist begraben. Ich denke, wir sind klar, bis auf ein paar lose Enden."

„Zum Teufel mit den losen Enden", grinste Cathcart. „An keinem bleibt etwas hängen, soweit ich es beurteilen kann. Ihr Kumpan, Denny, wird schleunigst verschwinden, und wenn ich je dieses blonde Stück, die Dalton, in die Finger bekomme, schicke ich sie zur Entziehungskur nach Mendocino. Vielleicht finden wir was gegen Donner, falls er aus dem Krankenhaus lebendig herauskommt. Die beiden anderen Burschen müssen wir uns wegen des Überfalls auf Sie und den Taxifahrer vornehmen, egal, welcher von beiden es war. Aber darüber werden sie nicht reden. Bleibt das Mordkommando." Cathcart gähnte. „Die Kerle müssen aus Frisco gewesen sein. Bei uns hier geht dieses Geschäft zu schlecht."

Dalmas sank auf seinem Stuhl zusammen. „Sie haben wohl nichts zu trinken da, Chef?" fragte er trübe.

Cathcart starrte ihn an. „Da ist aber noch was", sagte er grimmig, „und das will ich Ihnen ganz deutlich sagen. Daß Sie die Waffe auseinandergenommen haben, geht in Ordnung, wenn Sie dabei die Fingerabdrücke nicht verwischen. Vielleicht ist es auch in Ordnung, daß Sie mir nicht mehr gesagt haben, in Anbetracht der Klemme, in der Sie saßen. Aber der Teufel soll Sie holen, wenn Sie mich ausnutzen, um in unseren Akten zu schnüffeln und uns dann zuvorzukommen."

Dalmas lächelte ihn nachdenklich an. „Sie haben völlig recht, Chef", sagte er demütig. „Aber man hat ja schließlich seinen Auftrag. Mehr kann ich nicht sagen."

Cathcart rieb sich heftig das Kinn. Sein Stirnrunzeln verschwand, und er lächelte. Dann beugte er sich vor, zog eine Schublade auf und stellte eine Flasche Whisky auf den Tisch. Er drückte auf den Klingelknopf. Ein riesiger, uniformierter Torso reckte sich teilweise aus dem Nebenzimmer.

„He, Kleiner", brüllte Cathcart, „leih mir mal den Korkenzieher, den du aus meinem Schreibtisch geklaut hast." Der Torso verschwand und erschien gleich darauf wieder.

„Auf was wollen wir trinken?" fragte der Kommissar eine halbe Minute später.

„Lassen Sie uns nur so trinken", meinte Dalmas.

GESTEUERTES SPIEL

I

Kurz nach vier Uhr konnte ich die Sitzung des Großen Schwurgerichts verlassen und schlich die Hintertreppe zu Fenweathers Büro hinauf. Fenweather, der District Attorney, war ein Mann mit strengen, scharfgeschnittenen Zügen und grauen Schläfen, wie die Frauen sie lieben. Er spielte mit seiner Feder auf dem Schreibtisch und sagte: „Mir scheint, sie haben Ihnen geglaubt. Es könnte sogar sein, daß sie heute nachmittag gegen Manny Tinnen wegen des Shannon-Mordes Anklage erheben. Wenn das der Fall ist, wird's für Sie Zeit, daß Sie auf sich aufpassen."

Ich drehte eine Zigarette zwischen den Fingern und nahm sie schließlich in den Mund. „Schicken Sie keinen Ihrer Leute hinter mir her, Mr. Fenweather. Ich kenne die Seitengassen in unserer Stadt ganz gut, und Ihr Mann könnte doch nicht dicht genug hinter mir bleiben, um mir viel zu helfen."

Er blickte aus einem der Fenster. „Wie gut kennen Sie Frank Dorr?" fragte er, ohne mich anzusehen.

„Ich weiß, daß er einer der großen Politikos ist, ein Drahtzieher, bei dem man vorsprechen muß, wenn man hier eine Spielhölle oder ein Freudenhaus aufmachen will oder auch, wenn man der Stadt anständige Ware verkaufen will."

„Stimmt", antwortete Fenweather scharf und drehte sich mir zu. Dann senkte er die Stimme. „Daß wir gegen Tinnen Material besaßen, hat viele überrascht. Wenn Frank Dorr ein Interesse hatte, Shannon zu beseitigen, der Vorsitzender des Ausschusses war, durch den Dorr seine Verträge bekommen mußte, ist es ihm wichtig genug, daß er etwas riskiert. An Ihrer Stelle würde ich ihn im Auge behalten."

Ich grinste. „Ich bin nur ein kleines Würstchen", antwortete ich, „und Frank Dorr hat seine Fühler überall. Aber ich werde mir Mühe geben."

Fenweather stand auf und streckte mir die Hand hin. „Ich ver=lasse für ein paar Tage die Stadt. Ich fahre heute abend ab, falls die Anklage erhoben wird. Seien Sie vorsichtig — und wenn irgend etwas schiefgeht, gehen Sie zu Bernie Ohls, dem Chef meiner Ermittlungs=beamten."

„Mache ich", antwortete ich.

Wir schüttelten uns die Hände. Ich ging an einem müde aus=sehenden Mädchen vorbei, das mir ein gezwungenes Lächeln schenkte und sich eine Locke im Nacken aufdrehte, als es mich ansah. Kurz nach vier Uhr dreißig war ich in meinem Büro. Ich blieb einen Augenblick vor der Tür zu dem kleinen Vorzimmer stehen und betrachtete sie. Dann öffnete ich sie und trat ein, und — natürlich — war niemand da.

Es war nichts darin als ein altes rotes Sofa, zwei nicht dazu passende Sessel, ein kleiner Fetzen von Teppich und ein Rauchtisch mit ein paar alten Zeitschriften. Das Vorzimmer blieb für Besucher offen, die hereinkommen und sich setzen konnten, um zu warten — falls ich überhaupt Besucher bekam und sie Lust hatten zu warten.

Ich ging hindurch und schloß die Tür zu meinem Privatbüro mit der Aufschrift „Philip Marlowe, Ermittlungen" auf.

Lou Harger saß auf dem hölzernen Stuhl neben dem Schreibtisch an der dem Fenster abgewandten Seite. Er hatte hellgelbe Handschuhe an und hielt die Krücke eines Rohrstocks umklammert, und den grünen Hut mit der weichen Krempe hatte er zu weit in den Nacken geschoben.

„Na endlich. Ich habe hier gewartet", grüßte er und lächelte träge.

„Tag, Lou. Wie bist du hier hereingekommen?"

„Die Tür muß offen gewesen sein. Vielleicht hatte ich auch einen passenden Schlüssel. Stört's dich?"

Ich ging um den Schreibtisch herum und setzte mich auf den Dreh=stuhl. Meinen Hut legte ich auf den Schreibtisch, griff nach einer Bulldog=Pfeife in einem Aschenbecher und begann sie zu stopfen.

„Solange du es bist, ist alles in Ordnung", antwortete ich. „Ich hatte allerdings geglaubt, ich hätte ein besseres Schloß."

Er lächelte mit seinen vollen, roten Lippen. Lou war ein sehr gut aussehender Bursche. „Bist du noch berufstätig, oder wirst du den nächsten Monat in einem Hotelzimmer herumsitzen und mit ein paar Jungs vom Headquarter Schnaps trinken?"

„Das Geschäft läuft noch – sofern ich etwas zu tun habe."

Ich zündete meine Pfeife an, lehnte mich zurück und starrte auf seine reine, olivenfarbene Haut, seine geraden, dunklen Augenbrauen.

Er legte seinen Rohrstock auf den Schreibtisch und stützte seine gelben Handschuhe auf die Glasplatte. Er zog die Lippen an und ließ sie wieder locker.

„Ich habe eine Kleinigkeit für dich. Nicht sehr viel, aber das Fahrgeld fällt dabei ab."

Ich wartete.

„Ich werde heute abend in Las Olindas ein bißchen spielen", sagte er. „Bei Canales."

„Dem mit dem weißen Rauch?"

„Hm–m, genau. Ich glaube, ich werde Glück haben – und ich möchte gern, daß jemand mit einer Knarre dabei ist."

Ich holte eine neue Zigarettenpackung aus einer der oberen Schubladen und schob sie Lou über den Schreibtisch zu. Er nahm sie und begann sie zu öffnen.

„Was wird denn dort gespielt?" fragte ich.

Er zog eine Zigarette halb aus der Packung und betrachtete sie. In seiner Art war etwas, das mir nicht gefiel.

„Seit einem Monat sitze ich jetzt auf dem trocknen, habe nicht das Geld gemacht, das man hier in der Stadt braucht, um unbehelligt zu bleiben. Die Burschen vom Headquarter setzen mich seit meiner Bewährung unter Druck. Sie fangen an, schlecht zu träumen, wenn sie daran denken, sie müßten nur von ihrem Gehalt leben."

„Hier ist es auch nicht teurer als woanders. Und hier bezahlt man alles an *einen* Verein. Das ist auch etwas wert."

Lou Harger steckte die Zigarette zwischen die Lippen. „Ja – an

Frank Dorr, diesen fetten, beutegierigen Schweinehund", knurrte er bösartig.

Darauf antwortete ich nicht. Ich war über das Alter hinaus, in dem es noch Spaß macht, auf Leute zu fluchen, denen man doch nichts anhaben kann. Ich sah zu, wie Lou die Zigarette mit meinem Tischfeuerzeug anzündete. Durch eine Rauchwolke sprach er weiter. „Eigentlich ist es lächerlich. Canales hat einen neuen Roulettetisch gekauft – von den Schuften in der Dienststelle des Sheriffs. Ich kenne Pina, Canales' Chefcroupier, ganz gut. Das Roulette ist eins von denen, die sie mir weggenommen haben. Es hat so seine Mucken — und die Mucken kenne ich."

„Und Canales nicht...? Das klingt mir ganz nach Canales", meinte ich.

Lou sah mich nicht an. „Zu ihm kommt eine ganze Menge Leute", sprach er weiter. „Er hat eine kleine Tanzfläche und eine mexikanische Band von fünf Mann, um seine Kunden in Stimmung zu bringen. Zwischendurch tanzen sie ein bißchen, und dann versuchen sie ihr Glück noch einmal, statt verärgert wegzugehen."

„Und wie willst du es anfangen?" fragte ich.

„Man könnte es vielleicht ein System nennen", meinte er langsam und sah mich unter seinen langen Wimpern an.

Ich wandte den Blick von ihm ab, sah mich in meinem Büro um. Es hatte einen rostroten Teppich und fünf grüne, metallene Aktenschränke in einer Reihe unter einem Reklamekalender. In einer Ecke stand ein alter Ledersessel. Ein paar Nußholzstühle standen herum, vor den Fenstern hingen Netzgardinen. Die Fransen der Gardinen waren angeschmutzt, weil der Luftzug mit ihnen ständig über die staubige Fensterbank wischte. Ein nackter Strahl der späten Nachmittagssonne fiel auf meine Schreibtischplatte und ließ den Staub darauf erkennen.

„Dann sieht es also folgendermaßen aus", sagte ich. „Du glaubst, du hast dieses Roulette in der Hand und rechnest, damit so viel zu gewinnen, daß Canales sauer wird. Darum willst du jemanden zur Unterstützung bei dir haben — mich. Daran scheint mir was krumm zu sein."

„Nichts ist daran krumm", erklärte Lou. „Jedes Roulette hat die Tendenz, in einem bestimmten Rhythmus zu arbeiten. Wenn man ein Roulette wirklich sehr genau kennt –"

Ich lächelte und hob die Schultern. „Mag sein. Von Roulettes verstehe ich nicht genug. Mir klingt es so, als ob du dich in deinem eigenen Gewerbe hereinlegen lassen willst. Aber ich kann mich irren. Im übrigen kommt es mir darauf gar nicht an."

„Worauf denn?" fragte Lou lauernd.

„Ich spiele nicht gern Leibwächter. Macht mir keinen Spaß. Aber das ist vielleicht auch nicht der springende Punkt. Mir scheint, ich soll glauben, daß die Geschichte ganz sauber ist. Nehmen wir mal an, ich tue das nicht und lasse dich hängen, und du kommst in eine Klemme? Oder angenommen, ich bilde mir ein, alles ist prima in Ordnung, aber Canales ist anderer Meinung und wird eklig?"

„Gerade deswegen brauche ich doch jemanden mit einer Knarre in der Tasche", erwiderte Lou, ohne einen Muskel zu verziehen, außer um zu sprechen.

Gleichmütig antwortete ich: „Wenn ich für den Job auch zu brauchen wäre — woran ich meine Zweifel habe —, so ist das immer noch nicht der Punkt, der mir Sorgen macht."

„Lassen wir es also", sagte Lou. „Ich will nicht der Anlaß sein, daß du dir Sorgen machst."

Ich lächelte etwas stärker und beobachtete seine gelben Handschuhe, die über die Tischplatte hin und her glitten. Etwas zuviel, für meinen Geschmack. Langsam sagte ich: „Du bist der letzte in der Welt, der es sich leisten kann, seine Auslagen auf diese Art zu kassieren. Und ich bin der letzte, der es sich leisten kann, dir dabei zu helfen. Das ist alles."

„Meinst du?" fragte Lou. Er ließ die Asche von seiner Zigarette auf die Schreibtischplatte fallen, beugte den Kopf vor, um sie fortzublasen. Er sprach weiter, als redete er von etwas ganz anderem. „Miss Glenn geht mit mir; eine große Rothaarige. Sieht gut aus, das Mädchen. Hat mal als Fotomodell gearbeitet. Man kann sich auf das Kind in jeder Lage verlassen, und sie wird Canales davon abhalten, daß er mir zu nahe auf den Hals rückt. Dadurch würde uns der Rückweg gedeckt. Das nur nebenbei. Vielleicht interessiert es dich?"

Eine Minute lang schwieg ich. „Du weißt verdammt genau, daß ich vor dem Großen Schwurgericht gerade ausgesagt habe, ich hätte gesehen, wie Manny Tinnen sich aus dem Wagen beugte und den Strick durchschnitt, mit dem Art Shannon die Hände gefesselt waren, als sie ihn mit Blei gefüllt auf die Straße stießen", antwortete ich schließlich.

Lou lächelte ganz schwach. „Dadurch haben die Burschen mit den dicken Einnahmen es doch nur leichter, diese Kerle, die die Gewinne einstreichen, sich selbst aber bei den Geschäften nicht zeigen. Es wird behauptet, bei Shannon sei mit Schiebungen nichts zu wollen gewesen und er habe den Bewilligungsausschuß fest in der Hand gehabt. Üble Geschichte, daß er umgelegt wurde."

Abwehrend schüttelte ich den Kopf. Darüber wollte ich nicht sprechen. „Canales hat seine Nase auch in allem Möglichen drin", lenkte ich ab. „Und außerdem: Vielleicht macht er sich aus Rothaarigen nichts."

Lou stand langsam auf, nahm seinen Rohrstock von meinem Schreibtisch. Er starrte auf die Spitzen seiner gelben Finger. Sein Ausdruck war beinahe schläfrig. Dann näherte er sich der Tür und schwenkte seinen Stock dabei.

„Na, bis bald dann", sagte er zögernd.

Ich wartete, bis er mit der Hand den Türgriff berührte, ehe ich sagte: „Lauf nicht gleich beleidigt fort, Lou. Ich komme nach Las Olindas, wenn du mich unbedingt brauchst. Aber ich will kein Geld dafür, und vor allem, kümmere dich nicht mehr um mich, als unbedingt notwendig."

Er leckte sich langsam über die Lippen, aber er sah mich nicht richtig an, als er sagte: „Danke, alter Junge. Ich werde sehr gut aufpassen."

Dann ging er, und sein gelber Handschuh verschwand hinter der Türkante.

Ich saß fünf Minuten regungslos da, und dann wurde meine Pfeife zu heiß. Ich legte sie fort, sah auf meine Armbanduhr, stand auf, um das kleine Radio in der Ecke hinter dem Schreibtisch einzuschalten. Als sich der Lautsprecher warm gesummt hatte, ertönte der letzte Ton eines Glockenspiels, und dann sagte eine Stimme:

„KLI bringt nun die Abendnachrichten mit den letzten lokalen Meldungen. Ein wichtiges Ereignis heute nachmittag war der Schuldspruch der Geschworenen gegen Maynard J. Tinnen. Tinnen ist im Rathaus und der ganzen Stadt eine bekannte Erscheinung. Den Spruch der Geschworenen werden viele seiner Freunde als harten Schlag empfinden. Er erfolgte fast ausschließlich auf Grund der Zeugenaussage von ..."

Mein Telefon klingelte laut, und eine Mädchenstimme sagte in mein Ohr: „Einen Moment bitte, Mister Fenweather möchte Sie sprechen."

Er war sofort am Apparat. „Schuldspruch erfolgt. Passen Sie auf den Jungen auf."

Ich erwiderte, daß ich die Nachricht gerade im Radio hörte. Wir wechselten noch ein paar Sätze, und nachdem er mir gesagt hatte, daß er gleich fort müsse, um sein Flugzeug noch zu erreichen, hängte er ein.

Ich lehnte mich wieder in meinem Stuhl zurück und hörte auf das Radio, ohne genau darauf zu achten, was gesagt wurde. Ich dachte daran, was Lou Harger für ein verdammter Narr war und daß ich nicht das geringste tun konnte, um das zu ändern.

II

Für einen Dienstag war der Besuch gut, aber niemand tanzte. Gegen zehn hatte die Fünf-Mann-Kapelle es satt, auf einer Rumba herumzuhacken, die sich doch niemand anhörte. Der Marimbaspieler ließ seine Stöcke fallen und griff unter den Stuhl nach seinem Glas. Die anderen Musiker zündeten sich Zigaretten an und zeigten gelangweilte Gesichter.

Ich stand seitlich an die Bar gelehnt, die sich auf der gleichen Seite des Raumes befand wie das Podest für die Kapelle. Zwischen den Fingern drehte ich ein kleines Glas Tequila. Der ganze Betrieb konzentrierte sich auf den mittleren der drei Roulettetische.

Der Barman lehnte mir gegenüber auf der anderen Seite der Theke.

„Der Rotschopf da muß ganz schön kassieren", meinte er.

Ohne ihn anzusehen, nickte ich. „Sie setzt jetzt mit vollen Händen, zählt nicht einmal nach", antwortete ich.

Das rothaarige Mädchen war groß. Ich konnte das feurige Kupfer ihres Haares zwischen den Leuten, die um sie herum standen, leuchten sehen. Ich konnte auch Lou Hargers gepflegten Kopf neben ihr erkennen. Alle schienen im Stehen zu setzen.

„Spielen Sie nicht?" fragte mich der Barman.

„Dienstags nicht. Ich habe an einem Dienstag mal Ärger gehabt."

„Ah so. Wollen Sie das Zeug wirklich pur trinken, oder soll ich es Ihnen ein bißchen glätten?"

„Glätten? Womit?" fragte ich. „Oder haben Sie eine Raspel da?"

Er grinste. Ich nippte ein kleines Schlückchen Tequila und verzog das Gesicht.

„Hat das einer für einen ganz bestimmten Zweck erfunden?"

„Ich habe keine Ahnung."

„Wie hoch ist denn das Limit da drüben?"

„Weiß ich auch nicht. Wahrscheinlich, wie der Boss gerade gelaunt ist."

Die Roulettetische standen in einer Reihe nahe der gegenüberliegenden Wand. Ein niedriges Geländer aus Messing verband ihre Schmalseiten, und die Spieler blieben außerhalb dieser Absperrung.

Am Mitteltisch entstand ein Durcheinander. Ein halbes Dutzend Spieler an den beiden Außentischen griffen nach ihren Chips und drängten näher.

Dann war eine klare, sehr höfliche Stimme mit einem leichten, fremden Akzent zu hören. „Wenn Sie sich einen Augenblick gedulden wollen, Madam ... Mister Canales wird sofort kommen."

Ich trat näher und drängte mich bis an das Geländer. Dicht vor mir steckten zwei Croupiers die Köpfe zusammen. Der eine schob seinen Rechen langsam neben dem stillstehenden Roulette hin und her. Sie starrten seitlich aus den Augenwinkeln auf das rothaarige Mädchen.

Sie trug ein hochgeschlossenes, schwarzes Abendkleid und hatte schimmernde, weiße Schultern. Sie war noch nicht schön, aber viel mehr als hübsch. Unmittelbar vor dem Kessel lehnte sie an der Tischkante. Ihre langen Wimpern flatterten. Vor ihr lag ein großer Haufen Banknoten und Chips.

Sie sprach ausdruckslos, als wenn sie ihren Satz schon ein paarmal wiederholt hätte.

„Machen Sie weiter, und drehen Sie das Rad. Ihr nehmt hier gern schnell ein, aber auszahlen wollt ihr nicht so gern."

Der Chefcroupier zeigte ein kaltes, frisiertes Lächeln. Er war groß, dunkel und schien uninteressiert. „Der Tisch kann Ihren Einsatz nicht annehmen", sagte er mit ruhiger Präzision. „Vielleicht Mister Canales . . ." Er hob die Schultern.

„Ich spiele doch mit eurem Geld, ihr Großverdiener. Wollt ihr es nicht zurückgewinnen?"

Lou Harger neben ihr leckte sich über die Lippen, legte seine Hand auf ihren Arm und starrte mit glühenden Augen auf den Haufen Geld. Beruhigend sagte er: „Warte auf Canales."

„Zum Teufel mit Canales. Ich habe gerade meine Strähne, und die will ich ausnutzen."

Hinter den Tischen öffnete sich eine Tür, und ein sehr schlanker, sehr blasser Mann trat in den Raum. Er hatte straffes, glanzloses, schwarzes Haar, eine hohe, knochige Stirn, ausdruckslose, undurchdringliche Augen. Sein dünner Schnurrbart war zu zwei scharfen Linien zurückgestutzt, die fast einen rechten Winkel bildeten. Einen Zoll lang lief er auf beiden Seiten an seinen Mundwinkeln vorbei. Die Wirkung war sehr orientalisch. Seine Haut war von einer stumpf schimmernden Blässe.

Ruhig kam er hinter den Croupiers vorbei und blieb an einer Ecke des Mitteltisches stehen. Er sah das rothaarige Mädchen an und berührte das Ende seines Schnurrbartes mit zwei Fingerspitzen, deren Nägel purpurn schimmerten.

Plötzlich lächelte er, aber schon im nächsten Augenblick sah er aus, als ob er nie in seinem Leben gelächelt hätte. Seine Stimme war gedämpft und hatte einen ironischen Ton.

„Guten Abend, Miss Glenn. Sie müssen mir erlauben, daß ich Sie nach Hause bringen lasse, wenn Sie gehen. Es wäre mir sehr ärgerlich, wenn ein Teil dieses Geldes in die falschen Taschen käme."

Die Rothaarige sah ihn nicht sehr freundlich an.

„Ich hatte noch nicht die Absicht, zu gehen, es sei denn, Sie werfen mich hinaus."

„Nein? Was wollten Sie denn?" fragte Canales.

„Das hier setzen, alles, was hier liegt, Jumbo."

Das Raunen der Umstehenden wurde zu einem tödlichen Schweigen. Nicht das leiseste Wispern war zu hören. Hargers Gesicht nahm langsam die Blässe von Elfenbein an.

Canales zeigte keinerlei Ausdruck. Er hob seine Hand. Langsam, vorsichtig zog er eine große Brieftasche aus seiner Smokingjacke und schob sie vor den großen Croupier.

„Zehntausend", sagte er mit einem trüben Grollen in der Stimme. „Das ist mein Limit — immer!"

Der Croupier nahm die Brieftasche, schlug sie auf und zog zwei flache Päckchen knisternder Banknoten heraus. Er blätterte sie durch, schlug die Brieftasche wieder zu und schob sie an der Tischkante entlang vor Canales hin.

Canales rührte sich nicht, um sie an sich zu nehmen. Niemand bewegte sich, außer dem Croupier.

Das Mädchen sagte: „Setzen Sie es auf rot."

Der Croupier beugte sich über den Tisch und stapelte ihr Geld und ihre Chips sehr sorgfältig auf. Er schob ihren Einsatz für sie auf die rote Raute, dann legte er seine Hand in die Biegung des Kessels.

„Wenn niemand etwas dagegen hat", sagte Canales, ohne jemanden anzusehen, „dann spielen wir zwei jetzt allein."

In die Köpfe kam Bewegung, doch niemand sprach. Der Croupier drehte das Rad und ließ die Kugel mit einem leichten Schlenkern der linken Hand sirrend in den Kessel rollen. Dann zog er seine Hände zurück und legte sie voll sichtbar auf den Rand der Tischplatte.

Die Augen des rothaarigen Mädchens schimmerten. Ihre Lippen waren leicht geöffnet.

Die Kugel lief durch die Rundung des Kessels, an den Rauten aus glänzendem Metall vorbei, an der Flanke des Kessels hinunter und klapperte über die Nummernfächer. Dann rollte sie aus und blieb mit einem trockenen „Klick" liegen. Sie fiel direkt neben die Null, in Rot, 27. Das Roulette stand still.

Der Croupier nahm seinen Rechen und schob die beiden Päckchen Banknoten langsam zu dem Einsatz und dann das Ganze von dem Spielfeld hinunter.

Canales nahm seine Brieftasche wieder an sich, drehte sich um, ging langsam zur Tür und verließ den Raum.

Ich löste meine verkrampften Finger von der obersten Messingstange der Barriere, und eine Menge Menschen drängte sich zur Bar.

III

Als Lou kam, saß ich an einem kleinen Kacheltisch in einer Ecke und versuchte es noch einmal mit Tequila. Das kleine Orchester spielte einen dünnen, akzentuierten Tango, und ein Paar manövrierte verlegen auf der Tanzfläche. Lou hatte einen cremefarbenen Mantel an und den Kragen über einem dicken, weißen Seidenschal hochgeschlagen. Sein Gesicht war leicht gespannt. Diesmal waren seine Handschuhe aus weißem Schweinsleder, und er legte einen von ihnen auf die Tischplatte, als er sich zu mir beugte.

„Über zweiundzwanzigtausend", sagte er gedämpft. „Junge, das hat sich gelohnt."

„Hübscher Batzen, Lou", bestätigte ich. „Was für einen Wagen fährst du?"

„Ist dir irgend etwas aufgefallen?"

„Beim Spiel?" Ich fummelte an meinem Glas. „Ich verstehe nicht viel vom Roulette, Lou... Aber wie sich dein Mädchen benommen hat... Da stimmte vieles nicht."

„Sie ist nicht mein Mädchen", erwiderte Lou.

„Schon gut. Sie hat Canales eine gute Schau verschafft. Was für einen Wagen fährst du?"

„Einen Buick Sedan. Nilgrün, mit zwei Extrascheinwerfern und kleinen Seitenlichtern auf Stäben vorn an den Stoßstangen." Seine Stimme klang besorgt.

„Fahre nicht zu schnell durch die Stadt. Gib mir eine Chance, mit von der Partie zu sein, wenn es dazu kommt."

Er nahm seinen Handschuh und ging. Das rothaarige Mädchen war nirgends zu sehen. Ich sah auf meine Armbanduhr. Als ich wieder aufblickte, stand Canales vor meinem Tisch. Seine Augen musterten mich leblos über seinem geschniegelten Schnurrbart.

„Ihnen gefällt es hier nicht", erklärte er.

„Im Gegenteil."

„Sie kamen nicht her, um zu spielen." Das war eine Aussage, keine Frage.

„Ist das ein Zwang?" fragte ich trocken.

Ein sehr schwaches Lächeln glitt über sein Gesicht. Er beugte sich etwas vor und sagte: „Ich halte Sie für einen Detektiv. Einen geschickten Detektiv."

„Nur ein Schnüffler", antwortete ich. „Und nicht besonders geschickt. Lassen Sie sich von meiner langen Oberlippe nicht täuschen. Die liegt bei uns in der Familie."

Canales legte seine Finger um die Lehne eines Stuhles und preßte die Hand zusammen. „Kommen Sie nicht wieder her — aus keinem Grund." Er sprach sehr sanft und träumerisch. „Ich kann Gimpel nicht leiden."

Ich nahm die Zigarette aus meinem Mund und betrachtete genau ihre Glut, ehe ich ihn ansah. „Ich habe vorhin gehört, wie Sie beleidigt wurden. Sie haben sich gut gehalten. Darum soll das eben nicht zählen."

Einen Augenblick lang zeigte er einen seltsamen Gesichtsausdruck. Dann drehte er sich um und glitt mit einem leichten Schwanken der Schultern davon. Er setzte seine Füße flach auf und drehte sie beim Gehen weit nach außen. Sein Gang war, wie sein Gesicht auch, etwas negroid.

Ich stand auf und ging durch die große, weiße Doppeltür in die schwach erleuchtete Halle, holte meine Garderobe, zog den Mantel über und trat durch eine weitere Doppeltür auf eine breite Veranda mit einem Spalier unterhalb des Daches. In der Luft hing Nebel von der See her, und von den windzerzausten Zypressen vor dem Hause tropfte es. Das Gelände fiel leicht in die Dunkelheit hinein ab. Nebel verhüllte den Ozean.

Meinen Wagen hatte ich in einer Seitenstraße auf der anderen Seite des Hauses geparkt. Ich zog den Hut tiefer in die Stirn und ging lautlos über das feuchte Moos, das den Fahrweg bedeckte, bog um die Ecke der Veranda und erstarrte.

Unmittelbar vor mir stand ein Mann mit einer Pistole — aber er sah mich nicht. Er hielt die Waffe an seiner Seite, gegen den Stoff seines Mantels gedrückt, und seine große Hand ließ sie recht klein erscheinen. Das trübe Licht, das auf ihrem Lauf glänzte, schien aus dem Nebel zu kommen, fast ein Teil des Nebels zu sein. Es war ein großer Mann, und er stand sehr ruhig da, sprungbereit, auf den Ballen seiner Füße.

Ganz langsam hob ich die rechte Hand, öffnete die beiden obersten Knöpfe meiner Jacke, griff hinein und zog meine 38er mit dem sechs Zoll langen Lauf und ließ sie in meine Manteltasche gleiten. Der Mann vor mir bewegte sich. Dann hob er seine linke Hand zu seinem Gesicht, zog an einer Zigarette, die er im Innern seiner geschlossenen Hand hielt, und ihr Aufleuchten warf einen kurzen Schein auf ein kräftiges Kinn, weite, dunkle Nasenlöcher und eine kurze, aggressive Nase; die Nase eines Boxers. Dann ließ er die Zigarette fallen und trat sie aus. Hinter mir waren schwach schnelle, leichte Schritte zu hören. Es war schon viel zu spät, um mich noch umzudrehen.

Irgend etwas zischte. Ich ging aus wie ein Licht.

IV

Als ich zu mir kam, war mir kalt und feucht, und mein Kopf schmerzte etwa einen Meter breit. Hinter meinem rechten Ohr war eine wunde Stelle. Sie tat weh, blutete aber nicht. Ich war mit einer Stahlrute umgelegt worden. Ich rappelte mich hoch und stellte fest, daß ich mich ein paar Meter von dem Weg entfernt, zwischen zwei vom Nebel feuchten Bäumen befand. An den Absätzen meiner Schuhe klebte Lehm. Man hatte mich von dem Weg fortgeschleift, aber nicht sehr weit. Ich durchsuchte meine Taschen. Meine Pistole war natürlich verschwunden, aber das war auch alles. Das heißt, auch meine Vorstellung, daß dieses Unternehmen nur ein Abendspaziergang war, hatte sich verflüchtigt.

Angespannt spähte ich durch den Nebel, konnte nichts entdecken und niemanden sehen und gab es bald auf, zu warten, ob jemand auf mich lauerte. Dann schlich ich an der toten Seite des Hauses und einer gewundenen Linie von Palmen vorbei zu einer altmodischen Torlaterne, die über der Zufahrt in eine Art Seitengasse zischte und flakkerte, in der ich meinen alten Marmon-Tourenwagen geparkt hatte, den ich immer noch als Fahrzeug benutzte. Ich stieg ein, nachdem ich den Sitz mit einem Lappen trockengewischt hatte, überredete den Motor, anzuspringen, und quälte den Wagen bis zu einer großen, leeren Straße mit toten Schienen in der Mitte.

Von dort bog ich in den De Cazens Boulevard, die Hauptverkehrsstraße von Las Olindas, die nach dem Mann genannt worden war, der vor langer Zeit Canales' Haus gebaut hatte. Nach einer Weile kam die Stadt: Häuser, tote Geschäfte, eine Tankstelle mit einer Nachtklingel und schließlich ein Drugstore, der noch offen war.

Ein aufgemöbelter Sedan stand vor dem Drugstore, und ich parkte hinter ihm, stieg aus und sah in dem Drugstore an der Theke einen Mann ohne Hut, der mit dem Barman in einem blauen Kittel sprach. Den beiden schien die Welt allein zu gehören. Ich wollte schon hineingehen, hielt aber inne und warf noch einen Blick auf den aufgetakelten Sedan.

Es war ein Buick, und bei Tageslicht hätte seine Farbe nilgrün sein können. Er hatte zwei zusätzliche Suchlichter, und auf dünnen Nickelstäben standen zwei kleine, eiförmige, bernsteinfarbene Lampen auf der vorderen Stoßstange. Das Fenster neben dem Sitz des Fahrers war offen. Ich ging zu meinem Marmon zurück und holte eine Taschenlampe. Dann reichte ich in den Buick hinein und ließ schnell einen kurzen Lichtstrahl darin herumwandern.

Innen hing ein Schild mit dem Namen des Besitzers. Der Buick war auf den Namen Louis N. Harger zugelassen.

Ich brachte die Lampe wieder an ihren Platz und ging in den Drugstore. Auf der einen Seite war ein Stand mit Getränken, und der Barman in dem blauen Kittel verkaufte mir eine halbe Flasche Canadian Club, die ich hinüber an die Theke brachte und öffnete. Vor der Bar standen zehn Hocker, aber ich setzte mich direkt neben den Mann ohne Hut. Er begann mich in dem Spiegel hinter der Bar sehr sorgfältig zu mustern. Ich bestellte mir einen schwarzen Kaffee, nur zweidrittel voll, und goß reichlich von dem Whisky dazu. Ich goß die Mischung herunter und wartete eine Minute, um mich aufwärmen zu lassen. Dann betrachtete ich mir den Mann ohne Hut.

Er war etwa achtundzwanzig, sein Haar war schon ein bißchen dünn. Er hatte ein gesundes, rotes Gesicht, ziemlich ehrliche Augen, schmutzige Hände und sah aus, als ob er nicht sehr viel Geld verdiene. Er trug eine Jacke aus grauem Cord mit Metallknöpfen und eine Hose, die nicht dazu paßte. Beiläufig fragte ich leise: „Ihr Wagen, der da draußen?"

Er saß ganz still. Sein Mund wurde klein und gespannt.

„Gehört meinem Bruder", sagte er nach einem Augenblick.

„Wollen Sie was trinken?" fragte ich. „Ihr Bruder ist ein alter Freund von mir."

Er nickte langsam, schluckte trocken, streckte zögernd seine Hand aus, ergriff schließlich die Flasche und würzte kräftig seinen Kaffee. Er trank die ganze Tasse auf einmal. Ich sah im Spiegel zu, wie er eine zerdrückte Zigarettenpackung aus einer seiner Taschen grub, eine in den Mund steckte, ein Streichholz auf der Tischplatte anriß, nachdem es ihm zweimal mit dem Daumennagel mißlungen war, den Rauch mit sehr viel schlechtgespieltem Gleichmut, von dem er wußte, daß er nicht ankam, einatmete.

Ich beugte mich zu ihm und sagte gleichgültig: „Deswegen braucht es noch keinen Ärger zu geben."

„So", antwortete er, „um was geht es denn?"

Der Barman schlich sich näher. Ich bestellte neuen Kaffee. Als die Tasse vor mir stand, starrte ich den Barman an, bis er sich verdrückte und sich mit dem Rücken zu uns vor das Schaufenster stellte. Ich verbesserte meine zweite Tasse Kaffee mit Whisky und trank einen Schluck. Ich betrachtete den Rücken des Barmans und sagte: „Der Mann, dem der Wagen gehört, hat keinen Bruder."

Er beherrschte sich und wandte sich mir zu. „Sie glauben, der Wagen ist gestohlen?"

„Nein."

„Sie glauben nicht, daß der Wagen gestohlen ist?"

„Nein. Ich will nur die Geschichte wissen."

„Sind Sie Polizist?"

„So was Ähnliches. Aber es ist nicht gefährlich, machen Sie sich keine Sorge."

Er zog an seiner Zigarette und rührte mit dem Löffel in seiner leeren Tasse.

„Ich kann deswegen meine Stellung verlieren", sagte er gepreßt. „Aber ich brauchte die hundert Dollars. Ich bin Taxifahrer."

„Das hatte ich mir gedacht", antwortete ich.

Er sah mich überrascht an.

„Nehmen Sie noch einen Schluck und erzählen Sie weiter", forderte ich ihn auf. „Autodiebe parken ihre geklauten Wagen nicht in Hauptstraßen und sitzen dann in Drugstores herum."

Der Barman kam vom Fenster zurück und machte sich in unserer Nähe zu schaffen. Er wischte mit einem Lappen über die Kaffeemaschine. Dumpfes Schweigen herrschte. Schließlich legte der Barman den Lappen hin, ging hinter die Trennwand zum Verkaufsraum und begann, herausfordernd zu pfeifen.

Der Mann neben mir goß noch einen Schluck Whisky in seine Tasse, trank und nickte mir dann vertraulich zu. „Es war so. Ich habe hier einen Fahrgast hergebracht, auf den ich warten sollte. Dann kam einer mit einer Frau in dem Buick da draußen angefahren und bot mir hundert Dollars, wenn ich ihm meine Mütze gäbe und ihn mit meinem

Taxi in die Stadt fahren ließe. Ich sollte hier eine Stunde warten und dann seinen Buick zum Hotel Carillon am Towne Boulevard bringen. Dort würde mein Taxi stehen. Dafür hat er mir hundert Dollars geboten."

„Und was hat er erzählt?" fragte ich.

„Er behauptete, er käme aus einem Spielkasino und hätte ausnahmsweise mal Glück gehabt. Sie fürchteten, auf der Fahrt in die Stadt überfallen zu werden, sagte er. Er meinte, in Spielkasinos drücken sich immer welche 'rum, die auf solche Gelegenheiten lauern."

Ich nahm mir eine seiner Zigaretten, zog sie zwischen den Fingern gerade. „Das klingt alles ganz glaubwürdig", meinte ich. „Kann ich mal Ihren Führerschein sehen?"

Er gab ihn mir. Er hieß Tom Sneyd und war Fahrer bei der Green-Top-Taxigesellschaft. Ich verkorkte meine Flasche, ließ sie in meine Seitentasche gleiten und warf klirrend einen halben Dollar auf die Theke.

Der Barman kam und gab mir heraus. Er platzte fast vor Neugier.

„Gehen wir, Tom", sagte ich laut, daß er es hören konnte. „Wir wollen das Taxi holen. Ich glaube nicht, daß Sie hier noch länger zu warten brauchen."

Wir gingen hinaus, und ich ließ ihn in dem Buick vor mir herfahren. Die Lichter von Las Olindas verschwanden hinter uns. Wir kreuzten durch eine Reihe kleiner Orte am Strand, mit kleinen Häusern auf Wassergrundstücken unmittelbar am Meer und größeren, die auf den Hügeln dahinter standen. Hier und da war ein Fenster erleuchtet. Die Reifen surrten auf dem feuchten Asphalt, und in den Kurven blinzelten die kleinen, bernsteinfarbenen Lichter von der Stoßstange des Buick zu mir zurück.

Bei West Cimarron drehten wir landeinwärts, durchquerten Canal City und stießen auf die San-Angelo-Durchgangsstraße. Um den Towne Boulevard 5640 und das Hotel Carillon zu erreichen, brauchten wir fast eine Stunde. Es war ein großes, weitläufiges Gebäude mit einem Schieferdach, Garagen im Souterrain und einer vierstufigen Fontäne davor, die sie abends blaßgrün anstrahlten.

Das Green-Top-Taxi Nr. 469 war auf der anderen Seite im Halbdunkeln abgestellt. Ich konnte keine Spur entdecken, daß einer darauf geschossen hatte. Tom Sneyd fand seine Mütze auf dem Fahrersitz und setzte sich hastig hinter das Steuer.

„Ist jetzt alles klar? Kann ich weiterfahren?" Seine Erleichterung war ihm deutlich anzuhören.

Ich antwortete, von mir aus sei alles in Ordnung, und gab ihm meine Karte. Es war zwölf Minuten nach eins, als er um die Ecke bog. Ich kletterte in den Buick, steuerte ihn umständlich über die Rampe in die Garage und überließ ihn einem Farbigen, der mit gemächlichen Bewegungen Wagen wusch. Dann ging ich in die Halle.

Der Portier war ein asketisch wirkender junger Mann, der in einem Band *„Entscheidungen des Appellationsgerichts von Kalifornien"* unter der Lampe der Telefonzentrale las. Er sagte, Lou sei nicht zu Hause und sei seit elf Uhr, als er seinen Dienst angetreten habe, nicht dagewesen. Nach einer kurzen Auseinandersetzung wegen der späten Stunde und über die Wichtigkeit meines Besuches rief er schließlich Lous Apartment an, erhielt aber keine Antwort.

Ich ging wieder hinaus, saß ein paar Minuten in meinem Marmon, rauchte eine Zigarette und nahm ein paar Schlückchen von meinem Canadian Club. Dann ging ich wieder in das Carillon zurück, trat in eine Fernsprechzelle und wählte die Nummer des *Telegram.* Ich verlangte die Lokalredaktion und bekam einen Mann namens von Ballin an den Apparat.

Er kreischte fast, als er hörte, wer ich war. „Was, Sie laufen noch herum? Das ist ja beinahe schon eine Story. Ich dachte, Manny Tinnens Freunde hätten Sie inzwischen längst unter altem Lavendel beigesetzt."

„Sparen Sie sich das und hören Sie zu. Kennen Sie einen Mann namens Lou Harger, einen professionellen Spieler? Besaß mal eine Spielhölle, aber vor einem Monat wurde eine Razzia bei ihm veranstaltet und seine Bude zugemacht."

Von Ballin antwortete, er kenne Lou zwar nicht persönlich, aber er wisse, wer er sei.

„Wer in eurem Laden kennt ihn denn wirklich gut?"

Er dachte einen Augenblick nach. „Wir haben da einen, der heißt Jerry Cross", antwortete er dann. „Er gilt als unser Experte für Nachtleben. Was wollen Sie denn wissen?"

„Wo würde Lou hingehen, um zu feiern?" fragte ich. Dann fütterte ich ihn mit einem Teil der Geschichte, aber nicht zuviel. Ich ließ aus, daß ich eins abgekriegt hatte, und auch die Sache mit dem Taxi. „Er hat sich in seinem Hotel noch nicht wieder gezeigt", endete ich, „und ich muß unbedingt wissen, wo er ist."

„Nun, wenn Sie ein Freund von seinem . . ."

„Ein Freund von ihm, nicht von seinem Haufen", unterbrach ich scharf.

Von Ballin schrie jemandem zu, er solle ein Telefongespräch annehmen, und sagte dann leise dicht an der Sprechmuschel: „Packen Sie aus, alter Junge. Da ist doch noch mehr los."

„Also schön, aber ich erzähle es Ihnen persönlich, nicht Ihrem Blättchen. Ich habe draußen bei Canales eine gewischt bekommen, und dabei ging mir meine Pistole flöten. Lou und sein Mädchen vertauschten ihren Wagen mit einem Taxi, das sie auf der Straße aufgriffen. Seitdem sind die beiden verschwunden. Das gefällt mir nicht sehr. Lou war nicht betrunken genug, um mit so viel Geld in der Tasche durch die Stadt zu ziehen. Und wenn er es gewesen wäre, hätte das Mädchen es nicht erlaubt. Sie hat einen Blick fürs Praktische."

„Ich will sehen, was ich tun kann", versprach von Ballin. „Aber es sieht nicht sehr günstig aus. Ich rufe Sie an."

Ich sagte ihm, ich wohne im Merritt Plaza, falls er es vergessen haben sollte, verließ das Hotel und setzte mich wieder in den Marmon. Ich fuhr nach Hause, machte eine viertel Stunde kalte Umschläge auf meinen Kopf, saß dann im Pyjama herum, trank heißen Whisky mit Zitrone und rief hin und wieder im Carillon an. Um 2 Uhr 30 klingelte das Telefon, und von Ballin sagte, wir hätten Pech. Lou sei nicht hopp genommen worden, auch in keinem der einschlägigen Hospitäler eingeliefert und habe sich in keinem der Lokale gezeigt, an die Jerry Cross denken konnte.

Um drei Uhr wählte ich zum letztenmal die Nummer des Carillon. Dann gab ich es auf und ging schlafen.

Am Morgen war es das gleiche. Ich machte ein paar Versuche, dem rothaarigen Mädchen auf die Spur zu kommen. Im Telefonbuch waren achtundzwanzig Leute mit dem Namen Glenn aufgeführt, darunter drei Frauen. Eine beantwortete das Telefon nicht, die beiden anderen versicherten mir, sie hätten keine roten Haare; die eine war bereit, es mir zu zeigen.

Ich rasierte mich, duschte, frühstückte und ging zu Fuß die drei Blocks zum Condor Building den Berg hinunter.

In meinem kleinen Vorzimmer saß Miss Glenn.

V

Ich schloß die andere Tür auf, und sie trat ein und setzte sich auf den Stuhl, auf dem Lou am Nachmittag vorher gesessen hatte. Ich öffnete ein paar Fenster, verschloß die Außentür des Vorzimmers und riß ein Streichholz für die unangezündete Zigarette an, die sie in ihrer handschuh- und ringlosen linken Hand hielt.

Sie trug eine Bluse und einen karierten Rock, darüber einen weiten Mantel, und einen enganliegenden Hut, der lange genug unmodern war, um auf eine Pechsträhne bei ihr schließen zu lassen. Aber er verdeckte beinahe ihr ganzes Haar. Ihr Gesicht war fast ohne Make-up. Sie sah ungefähr wie dreißig aus und zeigte den abwesenden Ausdruck völliger Erschöpfung.

Die Zigarette hielt sie in einer Hand, die fast etwas zu sicher wirkte, einer Hand, die auf der Hut war. Ich setzte mich und wartete, daß sie zu sprechen anfing.

Sie starrte an die Wand und sagte kein Wort. Nach einer kurzen Weile stopfte ich meine Pfeife und rauchte eine Minute. Dann stand ich auf, ging zur Tür und hob ein paar Briefe auf, die durch den Schlitz eingeworfen worden waren.

Ich setzte mich wieder an meinen Schreibtisch, sah meine Post durch, las einen der Briefe zweimal, als ob ich allein sei. Während der ganzen

Zeit sah ich sie nicht direkt an, noch sprach ich zu ihr, behielt sie aber dennoch ständig im Auge. Sie sah wie eine Dame aus, der etwas an den Nerven zerrte.

Schließlich bewegte sie sich. Sie öffnete eine große schwarze Lackledertasche und nahm einen dicken Umschlag aus festem Papier heraus, zog einen Gummiring davon herunter und saß da, hielt den Umschlag zwischen den beiden Handflächen, den Kopf etwas zurückgelehnt, und von der Zigarette in ihrem Mundwinkel stieg grauer Rauch auf.

Zögernd sagte sie: „Lou riet mir, wenn ich mal in den Regen geraten sollte, sollte ich zu Ihnen gehen. Wo ich jetzt bin, gießt es in Strömen."

Ich sah auf den Briefumschlag. „Lou ist ein ganz guter Freund von mir. Ich täte für ihn alles, was man von mir verlangen kann, und einiges, was man nicht von mir verlangen kann. Wie gestern abend zum Beispiel. Das bedeutet noch nicht, daß Lou und ich immer das gleiche Spiel spielen."

Sie ließ ihre Zigarette in den gläsernen Aschenbecher fallen und dort weiterrauchen. Ein düsteres Flackern erschien plötzlich in ihren Augen und verlosch wieder.

„Lou ist tot." Ihre Stimme war völlig tonlos.

Ich beugte mich vor und tupfte mit einem Bleistift auf das glühende Ende der Zigarette, bis sie nicht mehr qualmte.

„Ein paar von Canales' Leuten haben ihn in meinem Apartment umgelegt", fuhr sie fort. „Mit einem Schuß aus einer kleinen Pistole, die wie meine aussah. Die Waffe war verschwunden, als ich nach ihr suchte. Ich habe die Nacht bei ihm gesessen. Er war tot . . . Ich mußte dortbleiben."

Ganz plötzlich brach sie zusammen. Sie verdrehte die Augen, ihr Kopf sank vor und schlug auf die Tischplatte. Sie hockte völlig regungslos, den Briefumschlag unter ihren schlaffen Händen.

Ich zog eine Schublade auf, nahm eine Flasche und ein Glas heraus, goß einen kräftigen Schluck ein, trat damit hinter sie und richtete sie auf dem Stuhl auf. Ich preßte den Rand des Glases hart gegen ihren Mund, so hart, daß es ihr weh tun mußte. Sie versuchte, sich loszuwinden, und schluckte. Ein paar Tropfen liefen ihr über das Kinn. Aber ihre Augen gewannen wieder Leben.

Ich stellte den Whisky vor sie und setzte mich wieder. Die Klappe des Briefumschlages war aufgegangen, weit genug, daß ich Geld darin sehen konnte, einen dicken Packen Banknoten.

Ihre Stimme klang wie im Traum, als sie zu sprechen begann.

„Wir bekamen von dem Kassierer nur große Noten, trotzdem gab es einen ganz hübschen Stoß. Es sind genau zweiundzwanzigtausend in dem Umschlag. Die paar hundert darüber hinaus habe ich behalten. Lou hatte Befürchtungen. Er meinte, es könne Canales nicht schwerfallen, uns zu erwischen, wenn er wollte. Manchmal kann man recht haben, ohne daß es einem hilft."

„Canales hat das Geld vor aller Augen verloren", antwortete ich. „Für ihn war das eine gute Reklame, selbst wenn es ihm weh tat."

Sie sprach weiter, als ob ich nichts gesagt hätte. „Auf dem Weg durch die Stadt entdeckten wir ein parkendes Taxi. Der Fahrer saß darin, und Lou hatte einen Einfall. Er bot dem Fahrer einen Hunderter, wenn er uns in dem Taxi nach San Angelo fahren ließe und dafür den Buick eine Stunde später zu seinem Hotel brächte. Der Junge ließ sich darauf ein, und wir fuhren zu einer Seitenstraße und tauschten die Wagen. Es tat uns leid, daß wir Ihnen davonliefen, aber Lou meinte, Sie würden sich nichts daraus machen, und vielleicht fänden wir eine Möglichkeit, Sie zu benachrichtigen. Wir nahmen ein anderes Taxi und fuhren zu meinem Apartment. Ich wohne im Hobart Arms, Block 800, an der South Minter Street. Sie stellen einem dort nicht viele neugierige Fragen. Wir gingen in mein Apartment, und als wir Licht machten, kamen zwei maskierte Kerle hinter der Trennwand zwischen dem Wohnzimmer und der Eßnische hervor. Der eine war klein und mager, und der andere war ein großer Bursche, mit einem riesigen Kinn, das unter seiner Maske hervorragte. Lou machte eine falsche Bewegung, und der Große schoß nur einmal auf ihn. Die Waffe gab einen leichten Knall, nicht sehr laut, und Lou fiel zu Boden."

„Das können die beiden gewesen sein, die mich fertiggemacht haben. Davon habe ich Ihnen noch nichts erzählt."

Sie schien auch das nicht zu hören. Ihr Gesicht war weiß und gefaßt, aber so ausdruckslos wie Gips. „Vielleicht täte mir noch ein kleiner Schluck gut", sagte sie.

Ich goß uns jedem einen Schluck ein, und wir tranken. „Sie durchsuchten uns", fuhr sie fort, „aber wir hatten das Geld nicht. Wir hatten an einem Drugstore gehalten, es in einen Umschlag getan, wiegen lassen und dann in einen Briefkasten geworfen. Sie durchsuchten das ganze Apartment, aber wir waren ja gerade erst gekommen und hatten keine Zeit gehabt, es zu verstecken. Der Große schlug mich mit der Faust nieder. Als ich wieder zu mir kam, waren sie verschwunden, und ich war mit Lou allein, der tot auf dem Boden lag."

Sie deutete auf einen Fleck an ihrem Unterkiefer. Es war etwas zu erkennen, fiel aber nicht sehr auf. Ich änderte meine Stellung auf dem Stuhl und sagte: „Sie müssen Sie auf der Rückfahrt überholt haben. Wenn die Burschen wirklich auf Draht gewesen wären, hätten sie sich das Taxi auf der Straße näher angesehen. Aber woher wußten die beiden, wo Sie wohnen?"

„Ich habe mir das in der Nacht überlegt", antwortete Miss Glenn. „Canales weiß, wo ich wohne. Er ist mir einmal nachgefahren und wollte mich veranlassen, ihn zu mir einzuladen."

„Schön", sagte ich. „Aber warum und — vor allem — wie sind die Burschen in Ihr Apartment gekommen?"

„Das ist nicht schwer. Direkt unter meinem Fenster ist ein Sims, über das ein Mann mühelos zur Feuertreppe laufen kann. Wahrscheinlich beobachteten ein paar andere Lous Hotel. An diese Möglichkeit hatten wir gedacht. Aber wir kamen nicht auf den Gedanken, daß sie meine Adresse wüßten."

„Erzählen Sie mir den Rest."

„Das Geld war an mich adressiert", fuhr Miss Glenn fort. „Lou war ein großartiger Bursche, aber eine Frau muß an alle Möglichkeiten denken. Darum mußte ich die vergangene Nacht bei Lou, der tot auf dem Boden lag, warten, bis die Post kam. Dann kam ich hierher."

Ich stand auf und blickte aus dem Fenster. Ein dickes Mädchen klapperte auf der anderen Seite des Hinterhofes auf einer Schreibmaschine. Ich konnte ihr Geklapper hören. Ich setzte mich wieder und starrte auf meine Daumen. „Haben sie die Waffe zurückgelassen?" fragte ich.

„Nur, wenn sie unter ihm liegt. Dort habe ich nicht nachgesehen."

„Die beiden haben Sie zu schnell laufenlassen. Vielleicht war es gar nicht Canales. Hat Lou Ihnen viel von sich erzählt?"

Sie schüttelte rasch den Kopf. Ihre Augen waren jetzt schiefergrau und aufmerksam, hatten nicht mehr den leeren Blick.

„Also gut. Und was soll ich Ihrer Meinung nach in der Angelegenheit tun?"

Sie kniff die Augen ein wenig zusammen, streckte die Hand aus und schob den dicken Umschlag langsam über den Schreibtisch.

„Ich bin kein kleines Kind, und ich sitze in einer Klemme. Aber mit der Polizei will ich nichts zu tun haben. Die Hälfte des Geldes gehört mir, und ich will sie haben und dann unbehelligt verschwinden. Eine glatte Hälfte. Wenn ich gestern nacht die Polizei gerufen hätte, hätte die einen Weg gefunden, mich um meinen Anteil zu bringen. Ich glaube, Lou wäre es lieb, wenn Sie seine Hälfte bekämen, falls Sie mir helfen wollen."

„Das ist ein Haufen Geld, um es einem Privatdetektiv unter die Nase zu halten, Miss Glenn", antwortete ich mit einem gezwungenen Lächeln. „Daß Sie gestern nacht die Polizei nicht gerufen haben, verbessert Ihre Lage keineswegs. Aber es wird sich schon auf alles, was die fragen können, eine Antwort finden. Ich glaube, es ist am besten, ich gehe mal in Ihr Apartment und sehe mir an, was dort los ist, falls überhaupt was los ist."

Sie beugte sich schnell vor und sagte: „Wollen Sie das Geld an sich nehmen? Wagen Sie das?"

„Gewiß. Ich laufe rasch hinunter und hinterlege es in einem Stahlfach bei der Bank. Sie können einen der Schlüssel haben — und über das Teilen können wir später reden. Ich halte es für keinen schlechten Gedanken, wenn Canales erfährt, daß er zu mir kommen muß, und für noch besser, wenn Sie sich in einem kleinen Hotel verborgen halten, wo ich einen Freund habe — mindestens bis ich die Lage etwas geklärt habe."

Sie nickte. Ich setzte meinen Hut auf und schob den Umschlag unter meinen Gürtel. Ich ging hinaus und sagte ihr noch, daß in der oberen linken Schublade eine Pistole liege, falls sie nervös sei.

Als ich zurückkam, schien sie sich nicht bewegt zu haben. Sie sagte aber, sie habe bei Canales angerufen und eine Nachricht für ihn hinterlassen, die er wohl verstehen würde.

Auf einem ziemlich verschlungenen Weg gingen wir zum Lorraine an der Brand Street und Avenue C. Niemand schoß auf dem Weg auf uns, und soweit ich feststellen konnte, wurden wir nicht verfolgt. Ich drückte Jim Dolan, dem Empfangschef im Lorraine, mit einer zusammengefalteten Zwanzigdollarsnote die Hand. Er steckte die Hand in die Tasche und versicherte, er wolle gern dafür sorgen, daß „Miss Thompson" nicht behelligt würde.

Dann ging ich. In den Mittagszeitungen stand nichts über Lou Harger im Hobart Arms.

VI

Das Hobart Arms war ein Apartmenthaus wie die vielen anderen, mit denen es im gleichen Block in Reih und Glied stand. Es hatte sechs Stockwerke und eine gelbliche Front. An beiden Seiten der Straße parkten den Block entlang viele Wagen. Langsam fuhr ich zwischen ihnen hindurch und sah mich dabei um. Die Gegend sah nicht danach aus, als sei hier kürzlich etwas Aufregendes passiert. Sie war friedvoll und sonnig, und die geparkten Wagen wirkten geruhsam, als ob sie hier richtig zu Hause seien.

Ich bog in eine Seitengasse mit hohen Bretterzäunen auf beiden Seiten und vielen Behelfsgaragen dazwischen. Ich parkte vor einer mit einem Schild „Zu vermieten" und ging zwischen zwei Müllkübeln auf den betonierten Hof des Hobart Arms, der an die Gasse stieß. Ein Mann verstaute Golfschläger im Kofferraum seines Coupés. In der

Halle schob ein Filipino gemächlich einen Staubsauger über den Teppich, und in der Telefonzentrale saß eine dunkelhaarige Frau.

Ich nahm den Selbstfahreraufzug nach oben, schlenderte durch den Korridor zur letzten Tür links. Ich klopfte, wartete, klopfte noch einmal und öffnete dann mit Miss Glenns Schlüssel.

Niemand lag tot auf dem Boden.

Ich betrachtete mich in dem Spiegel, der die Rückwand des Klappbettes bildete, ging zum Fenster und blickte hinaus. Darunter lag ein Sims, das früher mal ein Giebel gewesen sein mochte. Es führte bis zur Feuertreppe. Ein Blinder hätte darüberlaufen können. In dem Staub, der es bedeckte, waren keine Fußspuren zu erkennen.

In der Eßnische oder der Küche fand sich nichts, was nicht dort hingehörte. Das Schlafzimmer hatte einen Teppich in fröhlichen Farben und graugestrichene Wände. In der Ecke rund um den Papierkorb lag ein Haufen Plunder, und in einem zerbrochenen Kamm auf dem Toilettentisch hatten sich ein paar rote Haare verfangen. Die Schränke waren leer, bis auf ein paar gleichfalls leere Ginflaschen.

Ich ging ins Wohnzimmer zurück, sah hinter das Wandbett, stand noch eine Minute herum, ehe ich das Apartment verließ.

Der Filipino in der Halle war mit seinem Staubsauger drei Meter weiter gekommen. Ich stützte mich auf den Empfangstisch neben dem Klappenschrank.

„Miss Glenn?" fragte ich.

Die dunkle Frau sagte: „5 — 42", und malte ein Kreuz auf ihre Wäscheliste.

„Sie ist nicht da. Ist sie schon lange fort?"

Sie blickte auf. „Ich kann's nicht sagen. Worum handelt es sich denn? Eine Rechnung etwa?"

Ich erklärte ihr, ich sei nur ein Freund, bedankte mich und ging. Damit war eindeutig festgelegt, daß in Miss Glenns Apartment nichts Aufregendes passiert sein konnte. Ich ging in die Seitengasse und zu meinem Marmon zurück.

Ich hatte Miss Glenns Version sowieso nicht geglaubt, als sie mir die Geschichte erzählte.

Ich überquerte die Cordova Avenue, fuhr einen Block weiter und hielt vor einem vergessenen Drugstore, der hinter zwei riesigen Pfefferbäumen und einem verstaubten überladenen Schaufenster schlummerte. In einer Ecke befand sich eine einzelne Telefonzelle. Ein alter Mann schlurfte mir erwartungsvoll entgegen, wandte sich wieder ab, als er sah, was ich wollte, schob seine stahlgefaßte Brille auf seine Nase hinunter und setzte sich wieder hinter seine Zeitung.

Ich warf eine Münze in den Schlitz, wählte, und eine weibliche Stimme krähte mir mit einem kurzen Schleifer „Telegrajam" ins Ohr. Ich verlangte von Ballin. Als ich ihn bekam und er erkannt hatte, wer am Apparat war, hörte ich, wie er sich räusperte. Dann kam seine Stimme dicht an die Sprechmuschel und sagte sehr deutlich: „Ich habe eine Nachricht für Sie. Aber sie ist schlecht — tut mir furchtbar leid. Ihr Freund Harger ist im Leichenschauhaus. Wir haben die Meldung vor zehn Minuten bekommen."

Ich lehnte mich gegen die Wand und fühlte, daß meine Augen sich zusammenzogen. „Wissen Sie Näheres?" fragte ich.

„Ein Streifenwagen hat ihn irgendwo in einem Vorgarten oder so in West Cimaron gefunden, durch das Herz geschossen. Es ist gestern abend schon passiert, aber aus irgendeinem Grund konnten sie ihn erst jetzt identifizieren."

„In West Cimaron also ... daran ist nichts zu ändern. Ich melde mich wieder bei Ihnen."

Ich bedankte mich und hängte ein, stand einen Augenblick da und sah durch die Glasscheibe auf einen grauhaarigen Mann mittleren Alters, der in das Geschäft gekommen war und vor dem Gestell mit den Zeitschriften stand.

Dann warf ich eine weitere Münze in den Schlitz, wählte das Lorraine und verlangte Jim Dolan. „Veranlasse das Mädchen in eurer Zentrale, daß sie mich mit dem Rotkopf verbindet, Jim."

Ich zog eine Zigarette aus der Tasche, zündete sie an und blies den Rauch gegen die Tür. Der Rauch ballte sich vor der Glasscheibe und wirbelte durch die enge Zelle. In der Leitung klickte es, und die Telefonistin sagte: „Tut mir leid, der Teilnehmer antwortet nicht."

„Geben Sie mir Jim noch mal", sagte ich. Als er sich meldete, bat ich: „Kannst du schnell hinauflaufen und feststellen, warum sie nicht ans Telefon geht? Vielleicht hat sie nur Angst."

„Selbstverständlich", antwortete Jim, „mache ich sofort."

Ich spürte, wie mir überall der Schweiß ausbrach. Ich legte den Hörer auf ein kleines Brett und stieß die Tür der Zelle auf. Der Grauhaarige blickte schnell von den Zeitschriften hoch, knurrte dann vor sich hin und sah auf seine Uhr. Der Rauch meiner Zigarette quoll aus der Zelle. Nach einem Augenblick zog ich die Tür wieder zu und nahm den Hörer.

Jims Stimme schien von sehr weit zu kommen: „Sie ist nicht da. Vielleicht ist sie ausgegangen."

„Möglich. Vielleicht ist sie auch auf und davon."

Ich knallte den Hörer in die Gabel und drängte aus der Zelle. Der grauhaarige Fremde ließ eine Zeitschrift so hart auf den Tisch fallen, daß sie zu Boden rutschte. Er bückte sich, um sie aufzuheben, als ich an ihm vorbeiging. Direkt hinter mir richtete er sich wieder auf und sagte ruhig, aber sehr bestimmt: „Behalten Sie Ihre Hände unten und halten Sie sie ruhig. Gehen Sie zu Ihrem Wagen, und keine Scherze!"

Aus den Augenwinkeln bemerkte ich, wie der alte Mann kurzsichtig zu uns herüberblinzelte. Aber für ihn gab es nichts zu sehen, falls er überhaupt so weit sehen konnte. Etwas bohrte sich in meinen Rücken. Es konnte ein Finger sein, aber es fühlte sich nicht so an, als sei es nur ein Finger. Sehr friedlich gingen wir aus dem Laden.

Ein langer, grauer Wagen stand dicht hinter dem Marmon. Die hintere Tür stand halb offen, und ein Mann mit einem kantigen Gesicht und einem schiefen Mund stand, den einen Fuß auf dem Trittbrett, daneben. Die rechte Hand hielt er hinter sich in dem Wagen.

Die Stimme meines Mannes sagte: „Steigen Sie in Ihr Auto, und fahren Sie nach Westen. Biegen Sie an der ersten Ecke ab, und fahren Sie fünfzig, nicht schneller."

Die schmale Straße war sonnig und still, und die Pfefferbäume flüsterten. Auf der Cordova, einen kurzen Block entfernt, strömte der Verkehr. Ich hob die Schulter, öffnete die Tür meines Wagens und setzte mich hinter das Steuer. Der Grauhaarige stieg sehr schnell neben mir ein und beobachtete meine Hände. Er richtete seine rechte Hand auf mich, es war ein kurzläufiger Revolver darin.

„Vorsicht, wenn Sie Ihre Schlüssel aus der Tasche ziehen, Kollege."

Ich war vorsichtig. Als ich auf den Starter trat, schlug hinter mir eine Wagentür zu, dann waren schnelle Schritte zu hören, und jemand setzte sich auf den Rücksitz des Marmons. Ich kuppelte ein und fuhr um die Ecke. In dem Spiegel konnte ich sehen, wie der graue Wagen gleichfalls um die Ecke bog, dann fiel er etwas zurück.

Auf der Parallelstraße zur Cordova fuhr ich nach Westen, und als wir anderthalb Block weit gefahren waren, schob sich von hinten eine Hand über meine Schulter und nahm mir meine Pistole weg. Der Grauhaarige ließ seinen kurzläufigen Revolver auf seinem Oberschenkel ruhen und tastete mich mit seiner freien Hand sorgfältig ab. Befriedigt lehnte er sich zurück.

„Fein. Fahren Sie zur Hauptstraße, und geben Sie Gas", befahl er. „Aber versuchen Sie nicht, eine Polizeistreife aufmerksam zu machen, falls wir einer begegnen. Das heißt, Sie können es ja riskieren, wenn Sie wollen."

So bog ich denn noch zweimal um Ecken, beschleunigte auf fünfundsechzig und hielt dieses Tempo bei. Wir kamen durch ein paar hübsche Wohnviertel, und dann wurde die Landschaft einsam. Der graue Wagen blieb hinter mir zurück, wendete zur Stadt um und verschwand.

„Und was soll das Ganze?" fragte ich. Der Grauhaarige lachte und rieb sich sein breites, rötliches Kinn. „Nur ein Geschäft. Der Chef will mit Ihnen sprechen."

„Canales?"

„Zum Teufel mit Canales. Ich sagte, der Chef."

Ich achtete auf den Verkehr, sofern hier draußen noch von Verkehr die Rede sein konnte. Dann fragte ich: „Warum haben Sie es nicht schon in dem Apartmenthaus versucht? Oder in der Seitengasse?"

„Wir wollten sicher sein, daß Sie nicht beobachtet wurden."

„Wer ist denn der Chef?"

„Warten Sie's ab, bis Sie dort sind. Sonst noch was?"

„Ja. Darf ich rauchen?"

Er hielt das Steuer, während ich mir eine Zigarette anzündete. Der Mann auf dem Hintersitz hatte die ganze Zeit kein Wort gesagt. Nach einer Weile befahl mir der Grauhaarige, anzuhalten. Er übernahm das Steuer und fuhr weiter.

„Ich hatte auch mal so einen, vor sechs Jahren, als es mir noch dreckig ging", sagte er mit herablassender Freundlichkeit.

Darauf fiel mir keine wirklich gute Antwort ein, deshalb saß ich schweigend da, zog den Rauch ein und zerbrach mir den Kopf, warum, wenn Lou tatsächlich in West Cimaron umgebracht worden war, die Mörder nicht das Geld bekommen hatten. Und warum sich jemand die Mühe gemacht hatte, den Toten nach West Cimaron zurückzubringen, wenn er tatsächlich in Miss Glenns Apartment erschossen worden war.

VII

Nach zwanzig Minuten erreichten wir die Vorberge. Wir überquerten eine Anhöhe, rollten über ein langes, weißes Betonband, kreuzten eine Brücke, fuhren die nächste Anhöhe halb hinauf und bogen in eine Schotterstraße ein, die zwischen einem langgezogenen Dickicht aus Krüppeleichen und Manzanilla verschwand. Gefiedertes Pampasgras schoß in Büscheln wie Fontänen auf den Hängen hoch. Unter den Reifen knirschte der Schotter, und der Wagen rutschte in den Kurven ab.

Wir erreichten eine Berghütte mit einer breiten Veranda und einem Fundament aus verfugten Findlingen. Das Windrad eines Generators drehte sich etwa dreißig Meter hinter der Hütte langsam auf seinem Gittermast. Ein blauer Eichelhäher schwirrte über die Straße, flatterte im Zickzack auf, kurvte scharf und fiel wie ein Stein außer Sicht.

Der Grauhaarige fuhr den Marmon vor die Veranda neben ein sandfarbenes Lincoln-Coupé, schaltete die Zündung aus und zog die Handbremse an. Er zog die Schlüssel aus dem Zündschloß, legte sie sorgfältig in dem Lederetui zusammen und schob sie in seine Tasche.

Der Mann auf dem Rücksitz stieg aus und hielt mir die Tür auf. In der Hand hatte er einen Revolver. Ich stieg gleichfalls aus. Auch der grauhaarige Mann. Zusammen gingen wir in das Haus.

Wir kamen in ein großes Zimmer, das mit gemasertem, prächtig poliertem Fichtenholz getäfelt war. Wir gingen hindurch, über indianische Teppiche, und der Grauhaarige klopfte vorsichtig an eine Tür.

Eine Stimme rief: „Was ist los?"

Der Grauhaarige brachte sein Gesicht nahe an die Tür und sagte: „Beasley und der Mann, den Sie sprechen wollen."

Die Stimme hinter der Tür forderte auf, einzutreten. Beasley öffnete die Tür, schob mich hindurch und schloß hinter mir. Ich befand mich in einem weiteren großen Zimmer mit Wänden aus gemasertem Fichtenholz und indianischen Teppichen auf dem Boden. Auf einer Feuerstelle aus Feldsteinen flammte und puffte ein Feuer aus Wurzelholz. Der Mann hinter dem niedrigen Schreibtisch war Frank Dorr, der Politiko. Er gehörte zu den Männern, die dazu leben, einen Schreibtisch vor sich zu haben, gegen den sie ihren dicken Bauch drücken, mit Papieren darauf herumzufummeln und sehr klug auszusehen. Er hatte ein fettiges, schwammiges Gesicht, ein dünner Kranz weißer Haare stand ein wenig von seinem Kopf ab, und er hatte kleine, scharfe Augen, kleine und sehr zierliche Hände.

Was ich von ihm sehen konnte, war in einen saloppen, grauen Anzug gehüllt, und vor ihm auf dem Schreibtisch saß eine sehr große, schwarze Perserkatze. Mit einer seiner kleinen, zierlichen Hände kraulte er der Katze den Kopf, und die Katze drängte sich gegen seine Hand. Ihr buschiger Schwanz reichte über die Tischkante und fiel senkrecht nach unten.

Er sagte: „Setzen Sie sich", ohne den Blick von der Katze zu wenden.

Ich ließ mich in einen sehr tiefen Ledersessel sinken. Dorr fragte: „Wie gefällt es Ihnen hier oben? Ist doch hübsch, nicht wahr? Das ist Tobby, meine Freundin. Die einzige Freundin, die ich habe. Nicht wahr, Tobby?"

„Hier gefällt es mir an sich ausgezeichnet. Nur die Art, wie ich hier heraufgekommen bin, gefällt mir weniger."

Dorr hob ein wenig den Kopf und sah mich mit leicht geöffnetem Mund an. Er hatte sehr schöne, ebenmäßige Zähne, allerdings waren sie nicht in seinem Mund gewachsen. „Ich habe sehr viel zu tun, mein Freund", sagte er. „Es war so am einfachsten. Wollen Sie was trinken?"

„Natürlich will ich was trinken", antwortete ich.

Er preßte den Kopf der Katze zärtlich zwischen seinen Händen, schob sie dann von sich, stützte beide Handflächen auf die Armlehnen seines Sessels. Mühsam stemmte er sich hoch und kam schließlich mit leicht gerötetem Gesicht auf die Füße. Er watschelte quer durch das Zimmer zu einem Wandschrank und nahm eine viereckige Karaffe mit Whisky und zwei mit goldenen Adern durchzogene Gläser heraus.

„Kein Eis heute", sagte er, als er zu dem Schreibtisch zurückwatschelte. „Wir müssen ihn pur trinken."

Er goß zwei Drinks ein, winkte mir. Ich trat an den Schreibtisch und holte mir meinen. Er setzte sich wieder, und auch ich versank mit meinem Glas wieder in dem Sessel. Dorr zündete sich eine lange, braune Zigarre an, schob die Kiste ein paar Zentimeter in meine Richtung, lehnte sich zurück und sah mich mit völliger Gelassenheit an.

„Sie sind also derjenige, der Manny Tinnen dieses Ding angehängt hat", sagte er. „Das geht nicht."

Ich schlürfte an dem Whisky. Er war gut genug, um ihn zu schlürfen.

„Manchmal wird das Leben kompliziert", fuhr Dorr in der gleichen, ruhigen, gelassenen Stimme fort. „Politik — selbst wenn sie Spaß macht — zerrt an den Nerven. Sie kennen mich. Ich bin ausdauernd, und was ich will, bekomme ich auch. Es gibt nicht mehr so sehr viel, was ich noch will, aber wenn ich etwas will, will ich es unbedingt. Und ich bin nicht sehr zimperlich darin, wie ich es kriege."

„Sie haben einen großen Ruf", antwortete ich höflich.

Dorr blinzelte. Er sah sich nach der Katze um, zog sie am Schwanz zu sich, rollte sie auf die Seite und begann, ihr den Bauch zu kraulen. Die Katze schien das zu mögen.

Dorr sah mich an und sagte sehr sanft: „Sie haben Lou Harger umgelegt."

„Wie kommen Sie darauf?" fragte ich ohne besonderen Nachdruck.

„Sie haben Lou Harger umgelegt. Vielleicht hat er es verdient — aber Sie sind es gewesen. Er bekam einen Schuß ins Herz, mit einer Achtunddreißiger. Sie haben eine Achtunddreißiger, und es ist bekannt, daß Sie ziemlich fix damit umgehen können. Gestern abend waren Sie mit Harger in Las Olindas und haben gesehen, wie er einen Haufen Geld gewann. Ihr Auftrag war, ihn zu beschützen, aber dann hatten Sie einen besseren Einfall. Sie holten ihn und das Frauenzimmer ein, verpaßten Harger eine und griffen sich das Geld."

Ich trank meinen Whisky aus, stand auf und goß mir noch einen guten Schluck ein.

„Mit dem Mädchen haben Sie ein Geschäft abgemacht, aber das klappte nicht so richtig. Das Kind hatte auch einen guten Einfall. Aber das ist gleichgültig, weil die Polizei Ihre Waffe bei Lou Harger fand. Und Sie haben den Zaster."

„Werde ich schon von der Polizei gesucht?" fragte ich.

„Solange ich nichts sage ... Die Waffe wurde übrigens noch nicht abgeliefert ... Ich habe eine ganze Menge Freunde, wie Sie wissen."

„Draußen bei Canales wurde ich vor dem Haus niedergeschlagen", sagte ich langsam. „Das geschah mir recht. Dabei wurde mir meine Knarre abgenommen. Ich habe Harger nicht mehr erreicht, ihn auch nicht mehr gesehen, seit ich von Canales fortging. Heute morgen kam die Puppe mit dem Zaster in einem Umschlag zu mir und erzählte mir eine Geschichte, daß Harger in ihrem Apartment niedergeschossen worden war. Sie hat mir das Geld anvertraut, um es sicher aufzubewahren. Ihre Story fand ich nicht sehr überzeugend, aber daß sie das Geld brachte, hatte einiges Gewicht. Und Harger war mein Freund. Darum fing ich an, der Sache nachzugehen."

„Das hätten Sie der Polizei überlassen sollen", antwortete Dorr mit einem Grinsen.

„Mag sein. Aber es bestand ja auch die Möglichkeit, daß das Mädchen unter Zwang handelte. Außerdem schien es mir eine Chance, ganz gesetzlich ein paar Dollars zu verdienen. Das soll sogar in San Angelo schon vorgekommen sein."

Dorr stieß mit einem Finger der Katze an den Kopf. Mit abwesendem Ausdruck biß die Katze danach. Dann zog sie sich von ihm zurück, setzte sich auf eine entfernte Ecke des Schreibtisches und begann, sich eine Pfote zu lecken.

„Zweiundzwanzigtausend. Und die Puppe gab sie Ihnen also zum Aufbewahren", meinte Dorr.

„Das ist typisch weiblich, finden Sie nicht? — Auf jeden Fall haben Sie das Geld", sagte er dann. „Harger wurde mit Ihrer Waffe getötet. Das Mädchen ist verschwunden — natürlich kann ich sie notfalls zurückbringen. Ich glaube, sie wäre eine gute Zeugin. Falls wir eine brauchen."

„Wurde in Las Olindas falsch gespielt?" fragte ich.

Dorr leerte sein Glas und sog mit gespitzten Lippen an seiner Zigarre. „Natürlich", sagte er ganz beiläufig. „Der Croupier, ein Bursche namens Pina, war mit von der Partie. Das Roulette war auf Zero einstellbar. Dieser alte, faule Trick: ein Kupferknopf auf dem Fußboden, ein Kupferknopf an Pinas Schuhsohle, Drähte am Bein entlang, die Batterie in seiner Hüfttasche. Mit einem Wort, der alte Trick."

„Canales benahm sich nicht so, als ob er davon was wußte", entgegnete ich.

Dorr kicherte. „Er wußte natürlich, daß sein Roulette gesteuert werden konnte. Was er nicht wußte, war, daß sein Croupier auf der anderen Seite mitspielte."

„Ich möchte nicht in Pinas Haut stecken", sagte ich.

Dorr machte eine wegwerfende Bewegung mit seiner Zigarre. „Für den ist gesorgt. Das Spiel verlief sehr unauffällig und ruhig. Die beiden haben keine verwegenen Einsätze riskiert. Immer nur Eins-zu-Eins-Chancen. Sie gewannen auch nicht ständig. Das konnten sie gar nicht. So gut läßt sich kein Roulette steuern."

Ich hob die Schultern und setzte mich in dem Sessel zurück. „Sie wissen verdammt viel über die Geschichte. Ist das alles nur ausgeheckt worden, um mich unter Druck zu setzen?"

Er lächelte sanft. „Aber nein, was denken Sie sich? Ein Teil ergab sich rein zufällig. Wie es bei den besten Plänen immer geht." Er schwenkte wieder seine Zigarre, und ein blaßgrauer Rauchfaden zog vor seinen listigen, kleinen Augen vorbei. Aus dem vorderen Zimmer war eine gedämpfte Unterhaltung zu hören. „Ich habe Verbindungen, denen ich gefällig sein muß, auch wenn mir nicht immer ihre Nase gefällt", fügte er einfach hinzu.

„Wie Manny Tinnen?" fragte ich. „Er zeigte sich oft im Rathaus, wußte da gut Bescheid. Zu gut. Also schön, Mister Dorr. Was haben Sie sich nun gedacht? Was soll ich für Sie tun? Selbstmord begehen?"

Er lachte. Seine fetten Schultern schwabbelten vor Vergnügen. Er streckte mir die Handfläche einer seiner kleinen Hände entgegen. „Daran würde ich nicht denken", sagte er dann nüchtern. „Anders herum läuft das Geschäft besser, wie die Art, in der die Öffentlichkeit auf den Tod Shannons reagierte, vermuten läßt. Ich bin nicht so sicher, ob diese Laus von District Attorney Tinnens Verurteilung nicht auch ohne Sie durchsetzt, wenn er den Leuten die Idee verkauft, daß Sie nur umgelegt wurden, um Ihnen den Mund zu stopfen."

Ich stand auf, trat vor ihn, stützte mich auf den Schreibtisch und beugte mich zu Dorr hinunter.

„Vorsichtig", sagte er etwas scharf und atemlos. „Keine Dummheiten." Er griff zu einer Schublade und zog sie halb auf. Er bewegte seine Hände im Gegensatz zu seinem Körper sehr flink.

Ich lächelte auf seine Hand hinunter, und er ließ die Schublade los. Ich sah die Waffe, die darin lag.

„Ich habe aber schon vor den Geschworenen ausgesagt", erinnerte ich ihn.

Dorr lehnte sich zurück und lächelte mir zu. „Der Mensch kann sich mal irren", meinte er. „Selbst ein gerissener Privatdetektiv ... Sie können es sich doch anders überlegt haben? Und das legen Sie schriftlich nieder."

Sehr milde sagte ich: „Geht nicht. Dann habe ich eine Anklage wegen Meineides auf dem Hals, aus der ich nie herauskomme. Lieber eine Mordanklage, von der ich beweisen kann, daß sie falsch ist, besonders, wenn Fenweather will, daß ich freigesprochen werde. Er kann mich nicht entbehren. Dazu ist ihm der Fall Tinnen zu wichtig."

Gleichmütig antwortete Dorr: „Dann müssen Sie versuchen, Ihre Unschuld zu beweisen, lieber Freund. Und selbst, wenn Ihnen das gelingt, haben Sie noch immer so viel Dreck am Stecken, daß keine Jury ausschließlich auf Ihre Aussage hin Manny verurteilt.“

Ich streckte langsam meine Hand aus und kraulte die Katze am Ohr. „Und was wird mit den zweiundzwanzigtausend?“

„Die könnten ganz Ihnen gehören — falls Sie mitmachen. Schließlich ist es ja nicht mein Geld ... Wenn Manny freikommt, würde ich sogar etwas von meinem dazulegen.“

Ich kraulte die Katze unter dem Kinn. Sie begann zu schnurren. Ich nahm sie auf und hielt sie vorsichtig auf meinem Arm.

„Wer hat Harger getötet, Dorr?“ fragte ich, ohne ihn anzusehen.

Er schüttelte den Kopf. Lächelnd sah ich auf ihn hinunter. „Eine schöne Katze haben Sie.“

Dorr leckte sich die Lippen. „Mir scheint, das kleine Biest kann Sie leiden“, sagte er grinsend. Der Gedanke schien ihm zu gefallen.

Ich nickte — und warf ihm die Katze ins Gesicht. Er kiekste auf und riß seine Hände hoch, um die Katze aufzufangen. Das Tier drehte sich in der Luft und landete mit gespreizten Krallen in seinem Gesicht. Eine Kralle riß Dorrs Wange wie eine Bananenschale auf. Er schrie laut.

Als Beasley und der Mann mit dem kantigen Gesicht hereingestürzt kamen, hatte ich die Waffe aus der Schublade in der Hand und bohrte ihre Mündung Dorr in den Rücken. Einen Augenbilck war es eine Art gestelltes Bild. Dann wand sich die Katze aus Dorrs Arm, sprang zu Boden und verschwand unter dem Schreibtisch. Beasley hob seinen kurzläufigen Revolver, aber er sah nicht aus, als ob er sicher sei, was er damit anfangen solle.

Ich schob die Mündung der Waffe hart in Dorrs Nacken und sagte: „Franky kriegt's als erster ab, Jungens. Und das ist kein Scherz.“

Dorr grunzte. „Vorsichtig, vorsichtig“, knurrte er seinen Helfern zu. Er zog ein Taschentuch aus seiner Brusttasche und begann, das Blut von seiner Wange wegzutupfen. Der Mann mit dem schiefen Mund bewegte sich langsam seitwärts an der Wand entlang.

„Bildet euch nicht ein, daß mir das hier Spaß macht. Ich bin auch nicht zu faulen Witzen aufgelegt. Bleibt stehen, wo ihr seid."

Der Mann mit dem schiefen Mund hörte auf, sich zu bewegen, und starrte mich gehässig an. Seine Hände ließ er herunterhängen.

Dorr drehte den Kopf halbwegs zu mir und versuchte, über die Schulter zu mir zu sprechen. Ich konnte nicht genug von seinem Gesicht sehen, um seinen Ausdruck zu erkennen, aber er schien Angst zu haben. Er sagte: „So kommen Sie auch nicht weiter. Es wäre mir leicht gewesen, Sie beiseite zu schaffen, wenn ich das gewollt hätte. Was soll dieser Unsinn also? Wenn Sie jemanden niederschießen, verschlimmern Sie Ihre Lage nur noch mehr, als wenn Sie das tun, was ich von Ihnen verlange. Sie sind in einer Sackgasse."

Ich überlegte mir das einen Augenblick, während Beasley mich eigentlich recht wohlwollend ansah, als ob diese Szene für ihn ganz alltäglich sei. Dagegen war dem anderen nichts von Wohlwollen anzumerken. Ich lauschte angestrengt, aber der übrige Teil des Hauses schien völlig still zu sein.

Dorr beugte sich etwas vor, um der Berührung mit der Waffe zu entgehen, und fragte: „Nun?"

„Ich gehe jetzt. Ich habe eine Waffe, und sie sieht mir danach aus, als ob ich damit treffen könnte, wenn es sein muß. Mir liegt daran allerdings nicht sehr viel, und wenn Sie Beasley veranlassen wollten, mir meine Schlüssel zuzuwerfen, und den anderen da, mir die Pistole zurückzugeben, die er mir abgenommen hat, will ich über den Überfall nicht weiter reden."

Dorr bewegte seinen Arm, als wolle er träge die Schultern heben. „Und was weiter?"

„Ich werde mir Ihren Vorschlag etwas genauer überlegen. Wenn ich ausreichend Rückendeckung finde ..., vielleicht lasse ich mich darauf ein. Und wenn Sie wirklich so zäh sind, wie Sie von sich glauben, dann machen Ihnen ein paar Stunden so oder so nichts aus."

„Kein schlechter Gedanke", sagte Dorr kichernd. Dann zu Beasley: „Steck deine Knarre weg und gib ihm seine Schlüssel. Auch seine Waffe, die eine, die ihr ihm heute abgenommen habt."

Beasley seufzte und schob vorsichtig die Hand in die Hosentasche. Er warf das Lederetui mit meinen Autoschlüsseln durch das Zimmer, dicht neben den Schreibtisch. Der Mann mit dem schiefen Mund hob die Hand, schob sie in seine Seitentasche, und ich nahm solange Deckung hinter Dorrs Rücken. Er zog meine Pistole heraus, ließ sie auf den Boden fallen und gab ihr mit dem Fuß einen Stoß.

Ich kam hinter Dorrs Rücken hervor, hob meine Schlüssel und meine Waffe vom Boden auf und bewegte mich seitlich zur Tür. Dorr beobachtete mich mit leeren Blicken, die nichts verrieten. Beasley drehte mir ständig seine Vorderseite zu und trat von der Tür zurück, als ich näher kam. Der andere hatte Mühe, sich zu beherrschen.

Als ich die Tür erreichte, steckte ich den Schlüssel von der anderen Seite ins Schloß. Dorr meinte träumerisch: „Sie sind genau wie so ein Ball am Ende eines Gummibandes. Je weiter Sie fortfliegen, desto schneller kommen Sie zurück."

„Vielleicht ist der Gummi aber schon etwas brüchig und reißt", antwortete ich, ging durch die Tür, drehte den Schlüssel um und wartete gespannt auf die Schüsse, die nicht kamen. Als Trick war der meine nicht mehr wert als das Gold an einem Wochenendtrauring. Er funktionierte, weil Dorr es zuließ. Das war aber auch alles.

Ich kam aus dem Haus, konnte den Marmon anlassen, ihn wenden und im höchsten Tempo über den Berg jagen und so weiter bis auf die Fernverkehrsstraße. Kein Geräusch ließ erkennen, daß mir jemand folgte.

Als ich schließlich die Betonbrücke erreichte, war es kurz nach zwei, und ich fuhr eine Weile mit einer Hand, während ich mir den Schweiß im Nacken abwischte.

VIII

Die Leichenhalle lag am Ende eines langen, hellen, stillen Korridors, der hinter der Haupthalle im County-Building abzweigte. Er endete in zwei Türen und einer nackten, marmorverkleideten Wand. Die eine trug die Aufschrift „Untersuchungsraum" auf der Glasscheibe, hinter der kein Licht war. Die andere führte in ein kleines, freundliches Büro.

Ein Mann mit tiefblauen Augen und rostfarbenem Haar, das genau in der Mitte des Kopfes gescheitelt war, brütete über ein paar gedruckten Formularen. Er sah auf, musterte mich und lächelte plötzlich. „'n Tag, Landon", sagte ich. „Erinnern Sie sich an den Fall Shelby?"

Die leuchtendblauen Augen zwinkerten. Er stand auf und kam mit ausgestreckter Hand um den Tisch. „Natürlich. Was kann ich –" Er brach plötzlich ab und schnippte mit den Fingern. „Mein Gott, Sie sind doch der Bursche, der diesen schießwütigen Kerl fertiggemacht hat."

Ich warf meinen Zigarettenstummel durch die offene Tür in den Korridor. „Deswegen komme ich aber nicht, jedenfalls nicht heute. Da ist einer namens Louis Harger. Den hat es gestern abend oder heute morgen erwischt, wie ich gehört habe. Kann ich ihn mal sehen?"

„Daran soll Sie niemand hindern", antwortete Landon.

Er ging zu einer Tür im hinteren Ende seines Büros und führte mich in einen Raum, der aus weißer Farbe, weißer Emaille und Glas und hellem Licht bestand. An einer Wand war eine Doppelreihe großer Fächer mit Glasfenstern, durch die weißverhüllte Bündel und dahinter dick bereifte Rohre zu erkennen waren.

Auf einem Tisch mit erhöhtem Kopfende lag ein mit einem weißen Tuch bedeckter Körper. Gleichmütig zog Landon das Tuch von dem toten, stillen, gelblichen Gesicht eines Mannes herunter. Langes, schwarzes Haar lag lose auf einem kleinen Kissen, die Augen waren halb geöffnet und starrten blicklos zur Decke. Ich trat näher, betrachtete das Gesicht. Landon zog das Laken weiter herunter, klopfte mit dem Knöchel auf eine hohl klingende Brust wie auf ein Brett. Über dem Herz war eine Einschußwunde.

„Sauberer, ordentlicher Schuß", sagte er.

Ich wandte mich schnell ab, zog eine Zigarette aus der Tasche und drehte sie zwischen den Fingern. Ich starrte auf den Boden.

„Wer hat ihn identifiziert?"

„Das Zeug in seinen Taschen", antwortete Landon. „Natürlich prüfen wir seine Fingerabdrücke nach. Kennen Sie ihn?"

„Ja", nickte ich.

Landon kratzte sich mit dem Daumennagel leicht unter dem Kinn. Wir gingen in sein Büro zurück, und Landon trat hinter seinen Tisch und setzte sich. Er blätterte in Papieren, zog eines aus einem Stoß heraus und studierte es einen Augenblick.

„Ein Streifenwagen fand ihn um 12 Uhr 35 heute nacht an der Seite der alten Straße bei West Cimaron, eine viertel Meile von der Abzweigung der Umgehungsstraße entfernt. Sie wird nicht viel befahren, aber die Streifenwagen fahren hin und wieder mal durch und haben ein Auge auf die Pärchen dort."

„Wissen Sie, wie lange er tot gewesen war?"

„Nicht sehr lange. Er war noch warm, und die Nächte sind dort draußen kühl."

Ich steckte meine unangezündete Zigarette in den Mund, und beim Sprechen wippte sie auf und ab. „Ich wette, daß sie ein langes Geschoß, Kaliber 38, aus ihm herausgeholt haben."

„Woher wissen Sie das?" fragte Landon schnell.

„Nur geraten. Der Einschuß sieht danach aus."

Er musterte mich mit hellen interessierten Augen. Ich bedankte mich, versprach, daß ich ihn wieder aufsuchen würde, und verließ ihn. Im Korridor zündete ich die Zigarette an. Ich ging zu den Fahrstühlen, stieg ein, fuhr in den siebenten Stock und ging durch einen anderen Korridor, der genau wie der unten war, nur daß er nicht zur Leichenhalle führte, sondern zu den paar kleinen, nackten Büros der Ermittlungsbeamten des District Attorney. In der Mitte des Ganges öffnete ich eine Tür und trat ein.

Bernie Ohls hockte bequem an seinem Schreibtisch. Er war der Chef der Ermittlungsbeamten, der, zu dem ich gehen sollte, wenn ich Schwierigkeiten hätte, wie Fenweather gesagt hatte. Ohls war ein mittelgroßer, blonder Mann, mit weißlichen Augenbrauen und einem vorstehenden, tief gespaltenen Kinn. An der gegenüberliegenden Wand stand ein zweiter Schreibtisch. Ferner standen da ein paar harte Stühle, ein Messingspucknapf auf einer Gummimatte, aber sonst war sehr wenig in dem Raum.

Ohls nickte mir gleichmütig zu, stand auf und schloß die Tür ab. Dann zog er eine flache Blechschachtel mit kleinen Zigarren aus seinem Schreibtisch, zündete sich eine an, schob die Schachtel vor mich hin und sah mich an seiner langen Nase vorbei an. Ich setzte mich auf einen der Stühle und kippte ihn gegen die Wand.

„Nun?" fragte Ohls.

„Es ist Lou Harger. Ich dachte, er wäre es vielleicht doch nicht."

„Erzählen Sie keine Märchen. Im übrigen hätte ich Ihnen gleich sagen können, daß es Lou Harger ist."

Jemand versuchte, die Tür zu öffnen, klopfte dann. Ohls beachtete es nicht. Wer es auch war, er ging wieder.

Langsam sagte ich: „Er ist zwischen elf Uhr dreißig und zwölf Uhr fünfunddreißig getötet worden. Das reichte gerade, um es dort zu tun, wo er gefunden wurde. Die Zeit reichte aber nicht, um es so zu tun, wie sein Mädchen es schilderte. Und es war auch nicht genug Zeit, daß ich es tun konnte."

„Ja, mag sein. Vielleicht können Sie das beweisen. Vielleicht können Sie außerdem auch noch beweisen, daß es nicht gerade ein Freund von Ihnen war, der es mit Ihrer Waffe getan hat."

„Ein Freund von mir würde es wahrscheinlich nicht mit meiner Waffe getan haben — falls er wirklich mein Freund wäre."

Ohls grunzte, lächelte mich mürrisch von der Seite an und sagte: „Das würden die meisten denken. Und vielleicht tat er es gerade deshalb."

Ich ließ die Füße meines Stuhles auf den Boden zurückkippen und starrte ihn an. „Und dann sollte ich ausgerechnet zu Ihnen kommen und Ihnen die Geschichte von dem Geld und von der Waffe und alles andere, was mich belastet, erzählen?"

Ausdruckslos antwortete Ohls: „Warum nicht? Besonders, wenn Sie genau wissen, daß jemand anders es schon erzählt hat."

„Dorr hat nicht viel Zeit verloren", knurrte ich.

Ich drückte meine Zigarette aus, warf sie nach dem Spucknapf und stand auf. „Nun gut. Noch ist kein Haftbefehl gegen mich erlassen. Ich werde also hinübergehen und meine Aussage machen."

„Setzen Sie sich noch einen Moment", sagte Ohls.

Ich setzte mich wieder. Er nahm die kleine Zigarre aus seinem Mund und schleuderte sie mit einer wilden Geste von sich. Sie rollte über das graue Linoleum und blieb rauchend in der Ecke liegen. Er legte seine Arme auf den Schreibtisch und trommelte mit den Fingern beider Hände auf die Platte. Er schob die Unterlippe vor und preßte damit die Oberlippe fest gegen seine Zähne.

„Wahrscheinlich weiß Dorr, daß Sie jetzt hier sind", sagte er. „Der einzige Grund, weshalb Sie noch nicht oben im Loch sitzen, ist, daß die Polizei ihrer Sache noch nicht sicher ist. Sie sind sich nicht schlüssig, ob es nicht besser ist, etwas zu riskieren und Sie noch laufenzulassen. Wenn Fenweather bei der Wahl durchfällt, sitze ich in der Tinte, wenn ich mich mit Ihnen einlasse."

„Wenn er durchsetzt, daß Manny Tinnen verurteilt wird, verliert er die Wahl nicht", hielt ich ihm vor.

Ohls nahm eine frische der kleinen Zigarren aus der Blechschachtel und zündete sie an. Er griff nach seinem Hut auf dem Schreibtisch, drehte ihn einen Augenblick in der Hand und setzte ihn auf. „Warum hat der Rotkopf Ihnen das Märchen von dem Überfall in ihrem Apartment, von dem Toten auf dem Fußboden und diese ganze alberne Geschichte aufgebunden?"

„Sie wollte, daß ich in ihr Apartment gehe. Wahrscheinlich rechnete sie damit, daß ich nachsehen würde, ob eine Waffe dort lag, oder auch nur, um ihre Geschichte nachzuprüfen. Damit hatten sie mich aus dem belebten Teil der Stadt heraus. Es ließ sich dann leichter feststellen, ob der District Attorney mich bewachen ließ."

„Das ist nichts als eine Vermutung", erwiderte Ohls mürrisch.

„Natürlich", antwortete ich.

Ohls schwang seine dicken Beine herum, pflanzte die Füße hart auf den Boden und stützte die Hände auf die Knie. Die kleine Zigarre zitterte in seinem Mundwinkel. „Ich würde gern mal die Leute kennenlernen, die zweiundzwanzigtausend aus der Hand geben, nur um ein Märchen glaubwürdig erscheinen zu lassen", sagte er gehässig.

Ich stand wieder auf und ging an ihm vorbei zur Tür.

„Wohin so eilig?" wollte Ohls wissen.

Ich drehte mich um, zuckte mit den Schultern und sah ihn gleich=gültig an. „Sie scheinen nicht sonderlich interessiert zu sein."

Er stand auf und sagte unfreundlich: „Der Taxifahrer ist wahr=scheinlich ein dreckiger, kleiner Lügner. Aber es könnte zufällig sein, daß Dorrs Leute nicht wissen, daß er eine wichtige Rolle spielt. Gehen wir also zu ihm, solange seine Erinnerung noch frisch ist."

IX

Die Green=Top=Garage lag an der Deviveras, drei Blocks ostwärts von der Hauptstraße. Ich hielt den Marmon vor einem Feuermelder an und stieg aus. Ohls sank in seinem Sitz zurück und knurrte: „Ich warte hier. Vielleicht entdecke ich einen, der uns beobachtet."

Ich kam in eine düstere, hallende Garage, in der ein paar ganz frisch lackierte Wagen überraschende Farbflecken bildeten. In einer Ecke befand sich ein kleines, schmutziges, durch Glaswände abgeteil=tes Büro, in dem ein kleiner Mann saß, einen Derbyhut im Nacken und eine rote Krawatte unter seinem stacheligen Kinn. Er schnitzelte Tabak in seiner Handfläche.

„Sind Sie der Einsatzleiter?" fragte ich.

„Ja."

„Ich suche einen Ihrer Fahrer. Er heißt Tom Sneyd."

Er legte das Messer und den Klotz Preßtabak hin und begann die Tabakschnitzel zwischen seinen Handflächen zu zerreiben. „Worum geht es denn?" fragte er vorsichtig.

„Nichts Besonderes. Ich bin ein Freund von ihm."

„Noch ein Freund, also ... Er arbeitet nachts, Mister, und hat jetzt keinen Dienst. Wohnt 17=23 Renfrew. Das ist drüben bei Gray Lake."

„Danke", sagte ich. „Hat er Telefon?"

„Kein Telefon."

Ich zog einen gefalteten Stadtplan aus meiner Innentasche und ent=faltete ihn vor seiner Nase auf dem Tisch. Das schien ihn zu stören.

„Da ist ein großer Stadtplan an der Wand", knurrte er und begann eine kurze Pfeife mit dem Tabak zu stopfen.

„Ich bin an den hier gewöhnt", antwortete ich. Ich beugte mich über den ausgebreiteten Plan und suchte die Renfrew Street. Plötzlich hielt ich inne und sah den Mann mit dem Derbyhut ins Gesicht. „Sie haben sich an die Adresse verdammt schnell erinnert."

Er steckte die Pfeife in den Mund, biß fest darauf und schob zwei dicke Finger in eine Tasche seiner offenstehenden Weste.

„Gerade haben zwei andere nach ihm gefragt."

Ich faltete den Plan sehr schnell zusammen, schob ihn in die Tasche, während ich durch die Tür eilte. Ich lief über den Bürgersteig, glitt hinter das Steuer und trat auf den Starter.

„Sie sind uns zuvorgekommen", erklärte ich Ohls. „Zwei Burschen haben sich gerade die Adresse des Fahrers geholt. Könnte sein . . ."

Ohls klammerte sich an der Seite des Wagens an und fluchte, als wir auf quietschenden Reifen um die Ecke fegten. Ich beugte mich über das Steuer und trat aufs Gas. An der Kreuzung der Central Avenue war rotes Licht. Ich schlängelte mich zwischen den Pumpen der Tankstelle an der Ecke hindurch, drängte mich in den Wagenstrom auf der Central Avenue und wühlte mich rücksichtslos durch den Verkehr, um wieder nach Osten abbiegen zu können. Ein farbiger Verkehrspolizist pfiff hinter mir her und starrte mir dann nach, als versuche er, die Nummer meines Wagens zu erkennen. Ich raste weiter.

Lagerhäuser, ein Gemüsemarkt, ein großer Gaskessel, noch mehr Lagerhäuser, Gleisanlagen der Eisenbahn und zwei Brücken blieben hinter uns zurück. Ich witschte im letzten Moment noch unter drei Verkehrsampeln durch, die gerade die Farbe wechselten, und überquerte eine vierte, ohne das rote Licht zu beachten. Sechs Blocks weiter hörte ich die Sirene eines motorisierten Verkehrspolizisten. Ohls reichte mir einen Bronzestern, und ich hielt ihn aus dem Wagen, so daß die Sonne darauf glänzte. Die Sirene verstummte. Das Motorrad fuhr ein weiteres Dutzend Blocks hinter uns her, schwenkte dann ab.

Gray Lake ist ein künstliches Staubecken in einem Tal zwischen zwei Hügelketten am Ostrand von San Angelo. Schmale, aber kostspielig ge=

pflasterte Straßen winden sich um die Hügel herum, beschreiben kunstvoll gezogene Kurven an ihren Abhängen, wovon nur ein paar billige, verstreute Bungalows profitieren.

Wir stießen in die Hügel vor, versuchten im Vorbeifahren Straßenschilder zu erkennen. Die graue Seide des Sees blieb hinter uns zurück, und die Auspuffgeräusche des alten Marmon dröhnten zwischen den Abhängen auf beiden Straßenseiten, von denen Erde auf die unbenutzten Bürgersteige herunterkrümelte. Halb verwilderte Köter streunten in dem wuchernden Gras zwischen Kaninchenlöchern herum.

Renfrew lag fast auf dem Gipfel. Es begann mit einem kleinen, ordentlichen Bungalow, vor dem ein Kind, das mit einer Windel und sonst nichts bekleidet war, sich in einem Ställchen aus Maschendraht auf einem Rasenfleck in der Sonne aalte. Dann kam eine Strecke ohne Häuser. Darauf folgten zwei weitere Bungalows. Dann fiel die Straße plötzlich und schlängelte sich in scharfen Kurven durch eine Schlucht zwischen Hängen, die so hoch waren, daß die Fahrbahn völlig im Schatten lag.

Plötzlich knallte hinter einer Kurve vor uns ein Schuß.

Ohls richtete sich mit einem Ruck auf. „Oha, das war keine Schrotflinte.“ Er zog seine Dienstwaffe und öffnete die Tür auf seiner Seite.

Als wir um die Kurve bogen, sahen wir zwei weitere Häuser auf dem Abhang unterhalb der Straße. Dazwischen lagen ein paar steil abfallende Bauplätze. Schräg auf der Straße stand zwischen den beiden Häusern ein langer, grauer Wagen. Sein linker Vorderreifen war platt, beide Vordertüren standen offen, gespreizt wie die Ohren eines Elefanten.

Ein kleiner, dunkelhaariger Mann ruhte auf beiden Knien neben der offenen rechten Tür auf der Straße. Sein rechter Arm hing schlaff von der Schulter herab, und die Hand, die zu dem Arm gehörte, war blutig. Mit der Linken versuchte er, eine automatische Pistole zu fassen, die vor ihm auf dem Pflaster lag.

Ich brachte den Marmon mit blockierenden Rädern zum Halten, und Ohls taumelte hinaus.

„Lassen Sie das Ding liegen“, schrie er gellend.

Der Mann mit dem schlaffen Arm knurrte und ließ sich dann

gegen das Trittbrett sinken. Hinter dem Wagen knallte ein Schuß, und die Kugel zischte nicht weit an meinem Ohr vorbei. Inzwischen stand ich auch auf der Straße. Der graue Wagen stand so schräg, daß ich von seiner linken Seite nichts sehen konnte, außer der offenstehenden Tür. Der Schuß schien von dieser Stelle gekommen zu sein. Ohls jagte zwei Kugeln in die Tür. Ich ließ mich fallen, blickte unter dem großen Wagen hindurch und sah ein Paar Füße. Ich schoß danach, traf aber nicht.

Von der Ecke des näheren Hauses erklang ein dünner, aber sehr scharfer Knall. An dem grauen Wagen splitterte Glas. Aus der Waffe hinter dem Auto ballerte wieder ein Schuß, und über den Büschen spritzte der Putz von der Ecke des Hauses. Dann entdeckte ich zwischen den Sträuchern den Oberkörper eines Mannes. Er lag bergaufwärts auf dem Bauch und hatte ein Kleinkalibergewehr an der Schulter.

Es war Tom Sneyd, der Taxifahrer.

Ohls knurrte und stürmte auf den grauen Wagen los. Er schoß noch zweimal in die Tür, duckte sich dann hinter der Motorhaube. Mit einem Tritt beförderte ich die Waffe des Verwundeten aus seiner Nähe, glitt an ihm vorbei und spähte um das Heck des Wagens. Aber der Mann dahinter hatte jetzt zu viele Richtungen im Auge zu behalten.

Er war ein großer Mann in einem braunen Anzug, und seine Schuhe klapperten auf dem Pflaster, während er, Deckung suchend, auf die Erhebung zwischen den beiden Häusern zulief. Ohls Pistole krachte. Der Mann fuhr herum und feuerte, ohne stehenzubleiben, einen Schuß ab. Ohls stand jetzt frei und ungedeckt. Die Kugel riß ihm den Hut vom Kopf. Ich sah, wie er ruhig, mit gespreizten Beinen dastand und mit seiner Waffe zielte, als sei er auf dem Schießplatz der Polizei.

Aber der große Mann sackte bereits zusammen. Meine Kugel hatte ihn in den Hals getroffen. Ohls zielte sehr sorgfältig nach ihm, als er fiel, und die sechste und letzte Kugel aus Ohls' Revolver traf den Mann in die Brust und riß ihn herum. Mit der Seite des Kopfes schlug er mit einem Krachen, von dem einem übel werden konnte, auf die Bordkante.

Von den beiden Enden des Wagens gingen wir auf ihn zu. Ohls

beugte sich nieder und wälzte ihn auf den Rücken. Sein totes Gesicht hatte trotz des Blutes, das ihm über den Hals lief, einen gelockerten, liebenswürdigen Ausdruck. Ohls begann, seine Taschen zu durchsuchen.

Ich drehte mich um, um zu sehen, was der andere machte. Er tat gar nichts, sondern saß auf dem Trittbrett des Wagens, preßte seinen rechten Arm an sich und verzog vor Schmerzen das Gesicht.

Tom Sneyd kam den Abhang heraufgeklettert.

Ohls sagte: „Der Bursche hier heißt Poke Andrews. Ich habe ihn gesehen, wie er sich in Spielkasinos herumtrieb." Er stand auf und klopfte sich die Knie ab. In der linken Hand hatte er verschiedene Gegenstände. „Das war also Poke Andrews. Verdingte sich als Revolverheld für Tage oder Stunden oder Wochen. Scheinbar konnte man davon leben – solange, wie es dauerte."

„Das ist zwar nicht der, der mich zusammengeschlagen hat", sagte ich, „aber er war der andere; der, den ich vor mir sah, als sie mich erwischten. Und wenn an dem, was der Rotkopf heute morgen erzählte, ein wahres Wort ist, dürfte er vermutlich derjenige sein, der Lou Harger erschossen hat."

Ohls nickte. Er sah sich nach seinem Hut um und hob ihn auf. In der Krempe war ein Loch.

„Das würde mich nicht überraschen", sagte er und setzte den Hut ungerührt auf.

Tom Sneyd stand vor uns und hielt sein kleines Gewehr fest an die Brust gepreßt. Er war barhäuptig und ohne Jacke und trug Pantoffeln an den Füßen. Seine Augen glänzten wild, und er begann zu zittern.

„Ich wußte, daß ich diese Burschen kriegen würde", krähte er. „Ich hab' genau gewußt, daß ich die verdammten Schweine fertigmache." Er brach ab, und sein Gesicht begann sich zu verfärben. Es wurde grün. Er beugte sich langsam vor, ließ sein Gewehr fallen und stützte beide Hände auf seine gebeugten Knie. „Sie legen sich besser irgendwo hin, Junge", meinte Ohls. „Wenn ich Farben richtig beurteilen kann, dann fangen Sie gleich an, Ihr Frühstück auszuspucken."

X

Tom Sneyd lag auf dem Rücken auf der Couch im Vorderzimmer seines kleinen Bungalows. Auf seiner Stirn lag ein nasses Handtuch. Neben ihm saß ein kleines Mädchen mit honigfarbenem Haar und hielt seine Hand. Eine junge Frau, deren Haar zwei Töne dunkler war als das des Mädchens, saß in einer Ecke und starrte Tom Sneyd erschrocken und begeistert an.

Es war sehr warm, als wir in das Zimmer kamen. Alle Fenster waren geschlossen und die Sonnenblenden zugezogen. Ohls öffnete die beiden Frontfenster, setzte sich dann dort hin und sah auf den grauen Wagen. Der dunkle Mexikaner war mit seinem gesunden Handgelenk am Steuerrad verankert.

„Das, was sie von meinem Kind gesagt haben — das war es", sagte Tom Sneyd unter seinem Handtuch. „Das hat mich wild gemacht. Sie haben gesagt, sie würden wiederkommen und es holen, wenn ich nicht mitmache."

„Schon gut, Tom. Und nun mal ganz von vorn", sagte Ohls. Er steckte eine seiner kleinen Zigarren zwischen die Lippen, während er Tom Sneyd skeptisch musterte, zündete sie aber nicht an.

Ich saß auf einem sehr harten Windsorstuhl und betrachtete den billigen neuen Teppich.

„Ich las eine Zeitschrift und wartete auf mein Essen, und daß es Zeit würde, zu meiner Arbeit zu gehen", antwortete Tom Sneyd vorsichtig. „Die Kleine öffnete die Tür. Sie kamen 'rein und bedrohten uns mit ihren Pistolen, holten uns alle hier zusammen und schlossen die Fenster. Sie zogen alle Sonnenblenden zu, bis auf eine, und der Mexikaner setzte sich dorthin und sah hinaus. Er sagte die ganze Zeit kein Wort. Der Große setzte sich hier auf die Couch und ließ sich alles von gestern abend erzählen — zweimal. Dann sagte er, ich solle vergessen, daß ich jemanden getroffen habe oder mit jemandem in die Stadt gekommen sei. Dann ginge alles in Ordnung."

Ohls nickte und deutete auf mich: „Wann haben Sie diesen Mann hier zum erstenmal gesehen?"

„Ich habe nicht darauf geachtet“, antwortete Tom Sneyd. „Vielleicht war es halb zwölf oder Viertel vor zwölf. Ich kam um ein Uhr fünfzehn in die Garage zurück, unmittelbar nachdem ich meinen Wagen am Carillon abgeholt hatte. Wir brauchten eine gute Stunde, um vom Strand in die Stadt zurückzukommen, und in dem Drugstore haben wir uns vielleicht fünfzehn Minuten, vielleicht auch länger, unterhalten.“

„Dann wäre es Mitternacht gewesen, als Sie ihn trafen“, sagte Ohls.

Tom Sneyd schüttelte den Kopf, und das Handtuch rutschte ihm ins Gesicht. Er schob es wieder zurück.

„Nein“, entgegnete Tom Sneyd, „der Barman in dem Drugstore sagte, er schließe um zwölf. Als wir dort fortgingen, war der Laden aber noch geöffnet.“

Ohls drehte mir den Kopf zu und betrachtete mich ausdruckslos. Er sah wieder zu Tom Sneyd hinüber. „Erzählen Sie uns den Rest von den beiden Revolvermännern“, forderte er.

„Der Große meinte, ich brauchte wahrscheinlich mit niemandem darüber zu reden. Wenn aber doch, und wenn ich das Richtige sagte, würden sie wiederkommen und mir Geld bringen, und wenn ich das Falsche sagte, würden sie kommen und das Kind holen.“

„Weiter“, forderte Ohls. „Diese Kerle reden immer Quatsch.“

„Dann gingen sie. Als ich sie dann auf der Straße sah, drehte ich durch. Renfrew ist ein totes Ende, so ein Ort, der von politischen Schiebern und Spekulanten gebaut wurde. Die Straße geht noch eine halbe Meile weiter um den Hügel und hört da plötzlich auf. Es gibt keine Möglichkeit, in der Richtung weiter zu kommen. Sie mußten also umdrehen und hier vorbeifahren. Ich holte meine Flinte, eine andere Waffe habe ich nicht, und versteckte mich in den Büschen. Mit dem zweiten Schuß erwischte ich ihren Reifen. Ich glaube, sie hielten es zuerst für eine Panne. Mein nächster Schuß ging daneben, aber daran merkten sie, was los war. Sie schossen zurück. Dann erwischte ich den Mexikaner, und der Große nahm hinter dem Wagen Deckung. Dann kamen Sie. Das war alles.“

Ohls beugte seine dicken, harten Finger und lächelte grimmig zu der Frau in der Ecke. „Wer wohnt im Nachbarhaus?“

„Ein Mann namens Grandy. Er ist Fahrer bei der Stadtbahn. Er wohnt ganz allein. Jetzt ist er zur Arbeit."

„Ich hatte auch nicht geglaubt, daß er zu Hause ist." Ohls grinste. Er stand auf und tätschelte dem kleinen Mädchen den Kopf. „Sie müssen ins Headquarter kommen und Ihre Aussagen zu Protokoll geben, Tom."

„Natürlich", erwiderte Tom ohne große Begeisterung. „Wahrscheinlich verliere ich auch noch meine Stellung, weil ich gestern nacht meinen Wagen hergegeben habe."

„Das scheint mir noch nicht so sicher", meinte Ohls aufmunternd. „Wenn Ihr Chef Wert darauf legt, daß seine Wagen von Leuten gefahren werden, die etwas mehr Verstand als üblich haben, bestimmt nicht."

Er tätschelte dem kleinen Mädchen noch einmal den Kopf, ging zur Tür und öffnete sie. Ich nickte Tom Sneyd zu und folgte Ohls aus dem Haus. Ohls sagte ruhig: „Er weiß noch nicht, daß es Harger erwischt hat. Aber vor dem Kind brauchten wir das ja nicht zu sagen."

Wir gingen zu dem grauen Wagen hinüber. Aus dem Keller hatten wir ein paar Säcke geholt, sie über den toten Andrews gebreitet und mit Steinen beschwert. Mit abwesenden Blicken sah Ohls darauf hinunter und meinte: „Jetzt wird's Zeit, daß ich an ein Telefon komme."

Er beugte sich in den Wagen und sah den Mexikaner an, der mit zurückgelegtem Kopf und halbgeschlossenen Augen und erschöpftem Gesicht dasaß. Sein linkes Handgelenk war mit einer Handfessel an die Steuersäule angeschlossen.

„Wie heißen Sie?" schnauzte Ohls ihn an.

„Louis Cardena", antwortete der Mexikaner mit sanfter Stimme, ohne die Augen weiter zu öffnen.

„Wer von euch Kerlen hat gestern nacht in dem Cimaron den Mann umgelegt?"

„Nix versteh, Señor", schnurrte der Mexikaner.

„Stellen Sie sich nicht dumm, Jumbo", sagte Ohls leidenschaftslos. „Mich ärgert so was." Er beugte sich auf das Fenster nieder und rollte seine kleine Zigarre zwischen den Lippen.

Der Mexikaner zeigte die Andeutung eines hämischen Lächelns und sah gleichzeitig sehr müde aus. Das Blut an seiner rechten Hand war zu einer dunklen Kruste getrocknet.

Ohls sagte: „Andrews hat den Burschen in dem Taxi in West Cimaron umgelegt. Es war ein Mädchen dabei. Wir haben das Mädchen. Keine Chancen für Sie, zu beweisen, daß Sie nicht dabei waren."

Ein Licht flackerte in den halbgeöffneten Augen des Mexikaners auf und erlosch wieder. Sein Lächeln zeigte seine schimmernden, kleinen, weißen Zähne.

„Was hat er mit der Waffe gemacht?" fragte Ohls weiter.

„Nix versteh, Señor."

„Er ist zäh", meinte Ohls. „Bei zähen Burschen bekomme ich es immer mit der Angst." Er trat von dem Wagen zurück und schob mit dem Fuß lockere Erde von dem Pflaster des Bürgersteiges. Seine Fußspitze enthüllte nach und nach den Firmeneindruck des Bauunternehmers in dem Zement. Laut las er: „Dorr Straßenbaugesellschaft, San Angelo. Ein Wunder, daß dieser fette Kerl nicht bei seinem Leisten blieb."

Ich stand neben Ohls und blickte zwischen den Häusern den Hügel hinunter. Plötzliche Lichtblitze blendeten in der Sonne von den Windschutzscheiben der Wagen auf, die auf dem Boulevard am Ufer des Gray Lake vorbeifuhren.

Ohls meinte: „Was denken Sie?"

„Die Mörder wußten von dem Tausch mit dem Taxi. Wahrscheinlich. Trotzdem kam der Rotkopf mit dem Geld in die Stadt. Also steckt nicht Canales dahinter. Canales ließe keinen mit zweiundzwanzigtausend Dollars in der Tasche herumlaufen, die ihm gehören. Das Mädchen wußte also von dem Mord, und die Geschichte muß irgendeinen Grund haben."

Ohls grinste. „Natürlich. Er sollte Ihnen angehängt werden."

„Man sollte nicht glauben, wie wenig manchen ein Menschenleben wert ist. Oder auch zweiundzwanzigtausend Dollars. Harger wurde umgebracht, damit man mir den Mord an ihm anhängen konnte, und das Geld wurde mir zugeschanzt, um mich zu belasten."

„Vielleicht dachten sie, Sie würden mit dem Geld verschwinden", grunzte Ohls. „Dann saßen Sie erst recht drin."

Ich drehte eine Zigarette zwischen den Fingern. „Das wäre ein bißchen zu dumm gewesen, selbst für mich. Was tun wir jetzt? Warten, bis der Mond aufgeht, damit wir einen Grund zum Singen haben? Oder fahren wir hier von dem Berg wieder 'runter und erzählen ein paar kleine, unschuldige Lügen?"

Ohls spuckte auf einen der Säcke, unter denen Poke Andrews lag. Er sagte grob: „Wir sind hier im Landkreis. Ich kann die ganze Schweinerei 'rüber zur Zweigstelle nach Solano bringen und es eine Weile vertuscht halten. Dem Taxifahrer kann es nur willkommen sein, wenn er alles für sich behalten darf. Und den Mexikaner werde ich jetzt persönlich durch die Mangel drehen."

„So wäre es mir auch am sympathischsten. Wahrscheinlich können Sie die Schießerei nicht lange vor der Presse verschweigen, aber vielleicht doch lange genug, daß ich Zeit habe, einen fetten Burschen wegen einer Katze zu besuchen."

XI

Es war später Nachmittag, als ich in mein Hotel zurückkam. Der Portier schob mir einen Zettel hin. Darauf stand: „Rufen Sie bitte F.D. so bald wie möglich an."

Ich ging in mein Zimmer und trank den schäbigen Rest, der den Boden einer Flasche bedeckte. Dann telefonierte ich nach einer neuen Flasche, kratzte mir die Stacheln vom Kinn, zog mich um und schlug Frank Dorrs Telefonnummer nach. Er wohnte in einem alten, prächtigen Haus am Greenview Park Crescent.

Ich mixte mir ein großes Glas mit viel Wasser und klingelndem Eis und ließ mich in dem bequemen Sessel neben dem Telefon nieder.

Als erstes meldete sich ein Hausmädchen, dann ein Mann, der Mister Dorrs Namen aussprach, als fürchte er, der Mund könne ihm dabei platzen, danach eine Stimme mit sehr viel Seide darin, schließlich kam ein langes Schweigen, und als das Schweigen zu Ende war, hatte ich Frank Dorr persönlich am Apparat. Er schien sich zu freuen, von mir zu hören.

Er sagte: „Ich habe über unsere Unterhaltung heute morgen nachgedacht, und mir ist ein besserer Gedanke gekommen. Kommen Sie zu mir heraus, und das Geld können Sie gleich mitbringen. Sie haben gerade noch Zeit, es in der Bank abzuholen."

„Ja", antwortete ich. „Die Abteilung mit den Safes schließt um sechs, aber es ist doch nicht Ihr Geld."

Ich hörte ihn kichern. „Seien Sie nicht töricht, es ist alles markiert, und ich möchte Sie nicht gern anzeigen, daß Sie es gestohlen haben."

Das überlegte ich mir und ich glaubte ihm nicht, daß die Noten gezeichnet waren. Ich trank einen Schluck aus meinem Glas und sagte: „Ich wäre eventuell bereit, es der Person zu übergeben, von der ich es erhalten habe. In Ihrer Anwesenheit."

„Nun", antwortete er, „ich habe Ihnen gesagt, daß die Person aus der Stadt ist. Aber ich will sehen, was ich tun kann. Auf jeden Fall, bitte keine Tricks."

„Natürlich keine Tricks", versicherte ich ihm und hängte ein. Ich leerte mein Glas, rief von Ballin beim *Telegram* an. Er sagte, die Burschen im Headquarter schienen entweder nicht die geringste Ahnung zu haben, was hinter der Geschichte mit Lou Harger stände, oder es wäre ihnen völlig gleichgültig. Er war etwas verärgert, weil ich ihm immer noch nicht erlaubte, meine Story in die Zeitung zu bringen. An seiner Art zu reden erkannte ich, daß er von dem Vorfall beim Gray Lake noch nichts wußte. Ich rief bei Ohls an, erreichte ihn aber nicht.

Ich mixte mir einen neuen Drink, stürzte die Hälfte hinunter und begann, den Whisky stark zu spüren. Ich stellte das Glas ab und setzte meinen Hut auf. Dann überlegte ich es mir und trank das Glas doch aus und ging zu meinem Wagen hinunter.

Der Feierabendverkehr bestand vorwiegend aus Familienvätern, die es drängte, zum Abendessen nach Hause zu kommen. Ich war nicht ganz sicher, ob mich zwei Wagen verfolgten oder doch nur einer. Auf jeden Fall versuchte keiner, mich einzuholen und mir eine Handgranate gegen den Bauch zu werfen.

Das Haus war ein quadratischer, zweistöckiger Bau aus alten, roten Ziegeln in einem schönen Garten und einer roten Ziegelmauer mit einer Steinkrone darum. Eine glänzende, schwarze Limousine parkte vor dem überdachten Vorplatz. Ich ging über einen mit roten Steinplatten belegten Fußweg, über zwei Terrassen, und ein bläßlicher Wicht von Mann in einem Cut ließ mich in eine weiße, stille Halle mit dunklen alten Möbeln und einem Durchblick in den Garten auf der anderen Seite. Er führte mich durch diese Halle und durch einen weiteren Raum, der im rechten Winkel an sie anschloß, und bat mich mit gedämpfter Stimme in ein getäfeltes Arbeitszimmer, das in der sinkenden Dämmerung nur spärlich beleuchtet war. Er ging wieder und ließ mich allein zurück.

Die Außenwand bestand vorwiegend aus offenstehenden, französischen Fenstern, durch die sich hinter einer Reihe stiller Bäume ein messingschimmernder Himmel zeigte. Vor den Bäumen kreiste langsam ein Rasensprenger auf einem Flecken mit samtenem Gras, das bereits im Dunkel lag. Große, düstere Ölgemälde hingen an den Wänden, ein riesiger schwarzer Schreibtisch stand auf der einen Seite, die eine Querfront mit Büchern bedeckt, viele tiefe bequeme Sessel, und ein dicker weicher Teppich reichte von Wand zu Wand. In der Luft hing ein feiner Hauch von guten Zigarren und überdeckte den Geruch der Gartenblumen und der feuchten Erde. Die Tür öffnete sich, und ein jüngerer Mann mit einem Zwicker trat ein, begrüßte mich mit einem leichten, förmlichen Nicken, sah sich unsicher um und versicherte mir, daß Mr. Dorr gleich kommen werde, und ging wieder hinaus. Ich zündete mir eine Zigarette an.

Nach einer kurzen Weile öffnete sich die Tür wieder, und Beasley kam herein, grinste mir zu und setzte sich direkt zwischen zwei Fenster. Dann kam Dorr und hinter ihm Miss Glenn.

Dorr hatte seine Perserkatze im Arm und zwei prächtige rote Kratzer quer über die rechte Wange, die unter einer Kollodiumschicht glänzten. Miss Glenn trug die gleiche Kleidung, in der ich sie am Morgen gesehen hatte. Sie sah düster und erschöpft und mutlos aus, und sie ging an mir vorbei, als habe sie mich nie zuvor gesehen.

Dorr quetschte sich in den hochlehnigen Sessel hinter seinem Schreibtisch und setzte die Katze vor sich auf die Platte. Die Katze glitt zu einer Ecke des Tisches und begann, sich mit langen, gleitenden, geschäftigen Bewegungen die Brust zu putzen.

Dorr sagte: „Schön, schön, da wären wir ja", und kicherte liebenswürdig.

Der Mann in dem Cut brachte ein Tablett mit Cocktails herein, reichte sie herum, stellte das Tablett mit dem Shaker auf einem niedrigen Tisch neben Miss Glenn ab und zog sich zurück. Er schloß die Tür, als habe er Angst, er könne sie zerbrechen.

Wir tranken alle und machten sehr feierliche Gesichter. „Von zweien abgesehen, wären wir alle da", sagte ich. „Ich glaube, wir sind trotzdem beschlußfähig."

„Was heißt das?" fragte Dorr und legte den Kopf auf die Seite.

„Lou Harger ist in der Leichenhalle, und Canales wird versuchen, der Polizei zu entkommen. Sonst wären wohl alle da. Alle, die an der Sache interessiert sind."

Miss Glenn machte eine abrupte Bewegung, sank dann plötzlich zurück und pickte mit der Fingerspitze auf der Lehne ihres Sessels.

Dorr nahm zwei Schlückchen von seinem Cocktail, stellte das Glas neben sich und faltete seine kleinen zierlichen Hände vor sich auf dem Schreibtisch. Sein Ausdruck hatte sich etwas verfinstert.

„Das Geld", sagte er kalt. „Ich will es jetzt an mich nehmen."

„Weder jetzt noch sonst jemals", erwiderte ich. „Ich habe es nicht mitgebracht."

Dorr starrte mich an, und sein Gesicht rötete sich etwas. Ich sah zu Beasley hinüber. Beasley hatte eine Zigarette im Mund und die Hände in den Taschen. Sein Hinterkopf ruhte gegen die Lehne des Sessels. Er sah aus, als schliefe er halb.

Dorr sagte leise und nachdenklich: „Sie wollen mich wohl hinhalten."

„Erraten", antwortete ich grimmig. „Solange ich es habe, bin ich einigermaßen sicher. Sie haben den Bogen überspannt, als Sie es in meine Finger geraten ließen. Ich wäre ja dumm, wenn ich nicht die Vorteile halten würde, die es mir bietet."

„Sicher?" fragte Dorr, und ein leicht drohender Unterton schwang in seiner Stimme.

Ich lachte. „Nicht sicher davor, daß man mich hereinzulegen versucht. Das letztemal klappte das zwar nicht besonders gut . . . Auch nicht sicher davor, daß mir wieder zwei Revolverhelden auflauern, nur dürfte auch das beim nächstenmal nicht so ganz leicht gehen . . . Aber ziemlich sicher davor, daß mir einer ein Ding in den Rücken verpaßt und Sie einen Prozeß anstrengen, um es aus meiner Erbmasse ausgezahlt zu bekommen."

Dorr streichelte die Katze und musterte mich unter seinen Augenbrauen.

„Wir müssen noch ein paar andere wichtige Dinge klären", sagte ich. „An wem bleibt die Geschichte mit Lou Harger hängen?"

„Weswegen sind Sie so überzeugt, daß Sie nicht derjenige sind?" fragte Dorr gehässig.

„Ich habe mein Alibi etwas aufpoliert. Ich konnte nicht beurteilen, wie gut es war, solange mir nicht bekannt war, wie genau der Zeitpunkt von Lous Tod feststand. Jetzt stehe ich völlig außer Verdacht . . . Ganz gleichgültig, wer mit welcher Waffe und mit welchen Märchen bei der Polizei auftaucht . . . Und die Knaben, die ausgeschickt worden waren, sich mit meinem Alibi zu befassen, sind auf gewisse Schwierigkeiten gestoßen."

„Was Sie nicht sagen!" meinte Dorr anscheinend völlig ungerührt.

„Ja. Ein Schläger namens Andrews und ein Mexikaner, der sich Louis Cadena nennt. Ich möchte behaupten, daß Sie schon einmal von den beiden gehört haben."

„Ich kenne diese Leute nicht", erwiderte Dorr scharf.

„Dann dürfte es Ihnen ja auch nichts ausmachen, daß Andrews sehr tot ist und sich Cadena bei der Polizei in Kost und Logis befindet."

„Ganz gewiß nicht", entgegnete Dorr. „Die beiden sind Canales' Leute. Canales ließ Harger töten."

„Das ist also Ihr neuester Einfall. Ich halte ihn für schlecht."

Ich beugte mich vor und stellte mein leeres Glas unter den Sessel. Miss Glenn drehte mir den Kopf zu und sagte so ernst, als sei es für den Weiterbestand der Menschheit außerordentlich wichtig, daß ich auch glaubte, was sie sagte: „Natürlich! Selbstverständlich hat Canales Lou töten lassen ... Wenigstens haben die Leute, die er hinter uns herschickte, Lou erschossen."

Ich nickte höflich. „Und weshalb? Wegen eines Packen Dollars, den sie nicht bekamen. Wenn Canales die beiden beauftragte, hätten sie Lou nicht getötet; sie hätten ihn zu Canales zurückgebracht. Und Sie auch, Miss Glenn. Sie haben geholfen, den Mord vorzubereiten. Der Trick mit dem Taxi sollte mich ablenken, nicht etwa Canales' Helfer irreführen."

Sie streckte schnell ihre Hand aus. Ihre Augen glänzten feucht. Ich fuhr fort:

„Dieser Trick war nicht sehr klug ausgedacht, aber mit einer derartig faulen Geschichte hatte ich nicht gerechnet. Wer sollte das, zum Teufel, auch. Canales hatte kein Motiv, Lou umzulegen, wenn er nicht sein Geld zurückbekam, um das er betrogen worden war — vorausgesetzt, daß er dahintergekommen war, daß man ihn betrogen hatte."

Dorr leckte sich die Lippen, wackelte mit seinen Kinnen und sah mit zusammengekniffenen Augen von einem zum anderen. Miss Glenn sagte düster: „Lou hat das Spiel selbst vorbereitet. Er hatte es mit dem Croupier, mit Pina, vereinbart. Pina brauchte Geld, um zu verschwinden. Er wollte nach Havanna. Natürlich wäre Canales einmal dahintergekommen, aber nicht so bald, wenn ich nicht laut geworden wäre und so angegeben hätte. Ich bin schuld, daß Lou getötet wurde, aber nicht so, wie Sie meinen."

Ein Zoll Asche fiel von meiner Zigarette auf den Teppich. Ich hatte sie völlig vergessen. „Nun gut", sagte ich grimmig. „Canales soll der Mord also angehängt werden ... Und ich nehme an, ihr beiden Betrüger denkt, alles andere könnte mir gleichgültig sein ... Wo sollte Lou denn sein, wenn Canales dahinterkam, daß er betrogen worden war?"

„Er sollte fort sein", antwortete Miss Glenn tonlos. „Sehr weit weg von hier. Und ich sollte mit ihm gehen."

„Quatsch", sagte ich. „Sie scheinen zu vergessen, daß ich genau weiß, warum Lou erschossen wurde."

Beasley richtete sich in seinem Sessel auf und hob seine rechte Hand wie beiläufig zu seiner linken Schulter: „Wird Ihnen der Klugschwätzer lästig, Chef?"

„Noch nicht", antwortete Dorr. „Laß ihn nur ausreden."

Ich änderte meine Stellung etwas, so daß ich Beasley besser im Auge hatte. Der Himmel draußen war dunkel geworden, und den Rasensprenger hatte man abgestellt. Feuchte Nachtkühle drang langsam in den Raum. Dorr öffnete eine Zedernholzkiste und schob eine lange braune Zigarre in den Mund, biß die Spitze mit einem trockenen Klikken seiner falschen Zähne ab. Es war das kratzende Geräusch zu hören, als er ein Streichholz anriß, und dann das langsame, ziemlich mühsame Puffen, als er seine Zigarre in Brand setzte. Langsam sagte er durch eine Rauchwolke: „Wir wollen von all diesen Dingen nichts mehr wissen und uns über das Geld einigen ... Manny Tinnen hat sich heute nachmittag in seiner Zelle erhängt."

Miss Glenn stand plötzlich auf. Sie ließ beide Arme fallen, sank langsam wieder in den Sessel zurück, blieb regungslos sitzen. „Hat ihm jemand dabei geholfen?" fragte ich. Dann machte ich eine plötzliche, scharfe Bewegung und erstarrte.

Beasley warf mir schnell einen Blick zu, aber ich sah nicht zu Beasley hin. Vor einer der Fenstertüren stand ein Schatten – ein Schatten, der heller als der dunkle Rasen und die noch dunkleren Bäume war. Ein hohles, bitteres, hustendes Plopp wurde hörbar, und ein dünner Schleier weißlichen Rauches erschien in dem Fenster.

Beasley zuckte auf, erhob sich halb, rutschte dann zu Boden und fiel auf das Gesicht, den einen Arm unter den Körper gebogen.

Canales trat durch die Fenstertür, an Beasley vorbei und kam drei Schritte in den Raum, blieb ruhig stehen. Er hielt eine lange schwarze kleinkalibrige Pistole in der Hand, an deren Lauf das lange Rohr eines Schalldämpfers schimmerte.

„Bleiben Sie ganz ruhig", sagte er. „Ich bin ein sicherer Schütze. Selbst mit diesem Elefantengewehr hier."

Sein Gesicht war so weiß, daß es fast leuchtete. Seine dunklen Augen bestanden nur aus rauchgrauer Iris, ohne Pupille.

„Abends kann man bei offenen Fenstern weit hören", sagte er ausdruckslos.

Dorr legte seine beiden Hände auf die Schreibtischplatte und begann nervös zu trommeln. Die schwarze Katze streckte ihren Körper sehr lang, glitt über die Schreibtischkante und unter einen Sessel. Miss Glenn drehte ihren Kopf sehr langsam Canales zu, als ob er von einem Mechanismus bewegt würde. „Sie haben vielleicht eine Klingel auf dem Schreibtisch", sagte Canales. „Wenn die Tür aufgeht, schieße ich. Ich freue mich schon darauf, das Blut aus Ihrem fetten Hals sickern zu sehen."

Ich zog meine Hand auf der Armlehne des Sessels ein paar Zentimeter an. Die Pistole mit dem Schalldämpfer richtete sich sofort auf mich, und ich hörte auf, meine Hand zu bewegen. Canales lächelte ganz kurz unter seinem rechteckigen Schnurrbart.

„Sie sind ein gerissener Schnüffler", sagte er. „Ich glaube, ich habe Sie richtig erkannt. Irgend etwas an Ihnen gefällt mir."

Ich antwortete nicht. Canales blickte Dorr wieder an. Sehr präzise sagte er: „Ich bin von Ihrer Bande lange bis aufs Blut ausgesaugt worden. Aber das ist ein anderer Fall. Gestern abend wurde ich um Geld betrogen. Das ist auch geringfügig. Jetzt werde ich wegen des Mordes an diesem Harger gesucht. Ein Mann namens Cadena wurde zu dem Geständnis gebracht, daß ich ihn dazu gekauft hätte ... Das ist zuviel!"

Dorr schwankte leicht, stützte seine Ellenbogen auf den Schreibtisch, hielt sein Gesicht zwischen beiden Händen. Trotzdem konnte er sein Zittern nicht beherrschen. Seine Zigarre qualmte auf dem Teppich.

„Ich will mein Geld zurückhaben", sagte Canales, „und ich will, daß man mich von dem Mordverdacht befreit. Am meisten wünsche ich mir aber, daß Sie etwas sagen, damit ich Ihnen in den offenen Mund schießen kann und sehe, wie das Blut herausläuft."

Beasley bewegte sich auf dem Teppich. Er tastete mit den Händen um sich. Dorr zwang sich gewaltsam, nicht zu ihm hinzusehen. Canales hatte sich so weit in seine Wut hineingesteigert, daß er für alles andere außer Dorr blind war. Ich zog meine Hand auf der Armlehne etwas weiter an mich heran. Sie hatte noch einen weiten Weg vor sich.

„Pina hat ausgeplaudert", zischte Canales. „Dafür habe ich gesorgt. Sie ließen Harger töten, Dorr, weil auch er ein Zeuge gegen Manny Tinnen war. Der District Attorney wahrte das Geheimnis. Auch der Schleicher hier, aber Harger selbst konnte es nicht für sich behalten. Er erzählte es seinem Mädchen, und die Puppe erzählte es Ihnen. Darum haben Sie den Mord so geplant, daß der Verdacht auf mich fiel und mir ein Motiv unterschoben wurde. Erst haben Sie versucht, ihn dem Schleicher hier anzuhängen, und als das nicht klappte, mir."

Er schwieg. Es war totenstill in dem Raum. Ich wollte etwas sagen, aber ich brachte nichts heraus. Mir schien es, als ob niemand außer Canales je wieder ein Wort sagen würde.

„Sie bestachen Pina", zischte Canales weiter, „daß er Harger und das Mädchen hier mein Geld gewinnen lassen sollte. Das war nicht schwer, denn bei mir ist kein Roulette präpariert."

Dorr hatte aufgehört zu zittern. Er hob sein kalkweißes Gesicht, drehte es langsam Canales zu: das Gesicht eines Mannes, der unmittelbar vor einem epileptischen Anfall steht. Beasley hatte sich auf einem Ellenbogen aufgerichtet. Seine Augen waren fast geschlossen, aber es gelang ihm mühsam, seine Hand mit der Waffe zu heben.

Canales beugte sich vor und begann zu lächeln. Der Zeigefinger am Abzug seiner Waffe krümmte sich im gleichen Augenblick, als Beasleys Pistole krachte. Canales bog jäh den Rücken durch, sein Körper bildete einen Bogen. Er fiel steif nach vorn, schlug gegen die Kante des Schreibtisches und glitt, ohne die Hände zu heben, zu Boden.

Beasley ließ seine Waffe fallen und sank auf sein Gesicht zurück. Sein Körper wurde schlaff. Seine Finger verkrallten sich krampfhaft, erstarrten dann. In meine Beine kam Bewegung. Ich sprang auf und beförderte Canales' Pistole mit einem Tritt unter den Schreibtisch – völlig sinnlos. Während ich das tat, erkannte ich, daß Canales mindestens einmal abgedrückt hatte: Frank Dorr hatte kein rechtes Auge mehr.

Er saß ruhig, das Kinn auf der Brust und einen freundlichen Hauch von Melancholie auf der unverletzten Seite seines Gesichtes.

Die Tür wurde aufgestoßen, und der Sekretär mit dem Pincenez schoß mit aufgerissenen Augen herein. Er taumelte gegen die Tür zurück und schloß sie wieder. Durch das ganze Zimmer konnte ich sein heftiges Atmen hören.

„Ist irgend etwas nicht in Ordnung?" keuchte er.

Das erschien mir furchtbar komisch, selbst in diesem Augenblick. Dann kam mir der Gedanke, daß er vielleicht kurzsichtig war, denn von dem Platz, an dem der Sekretär stand, sah Dorr ganz natürlich aus. Alles andere mochte für einen Helfer Dorrs zur alltäglichen Routine gehören.

„Nein", antwortete ich. „Aber darum werden wir uns hier kümmern. Gehen Sie 'raus!"

„Ja, Sir", antwortete er und verschwand eilig.

Das überraschte mich derart, daß mir der Mund offenstehen blieb. Ich ging durch das Zimmer und beugte mich über den grauhaarigen Beasley. Er war bewußtlos, aber sein Puls schlug fast regelmäßig. An der Seite blutete er etwas.

Miss Glenn stand auf. Sie sah aus, als ob sie fast ebenso stark unter Rauschgift stehe, wie es bei Canales den Anschein gehabt hatte. Sie sprach sehr schnell auf mich ein, mit klirrender, sehr akzentuierter Stimme: „Ich habe nicht gewußt, daß sie Lou töten wollten. Aber ich hätte es doch nicht verhindern können. Sie haben mich mit einem glühenden Eisen verbrannt – als Probe für das, was mir bevorstand. Sehen Sie her."

Ich blickte zu ihr hin. Sie riß ihre Bluse vorn auf. Fast zwischen ihren Brüsten hatte sie eine gräßliche Brandstelle.

„Schon gut, Puppe. Das ist hart. Aber jetzt muß Polizei her. Und ein Krankenwagen für Beasley." Ich drängte mich an ihr vorbei zum Telefon, schüttelte ihre Hand von meinem Arm ab, als sie nach mir griff. Hinter meinem Rücken sprach sie mit einer dünnen verzweifelten Stimme weiter:

„Ich glaubte, sie wollten Lou nur bis nach dem Prozeß aus dem Weg schaffen. Aber sie zerrten ihn aus dem Taxi und schossen ihn ohne ein Wort nieder. Dann fuhr der Kleine das Taxi in die Stadt zurück, und der Große brachte mich in die Berge zu einem Jagdhaus. Dort war Dorr.

Er erklärte mir seinen Plan, Ihnen den Mord anzuhängen. Er versprach mir das Geld, wenn ich dabei mitmachte, und drohte mir, mich zu Tode zu foltern, wenn ich ihn verriet."

Plötzlich wurde mir bewußt, daß ich zu vielen Leuten zu oft den Rücken zukehrte. Ich fuhr herum, packte das Telefon und legte meine Waffe auf den Schreibtisch.

„Sie müssen mir eine Chance geben", flehte sie wild. „Dorr hat alles mit Pina, dem Croupier, ausgeheckt. Pina war einer von der Bande, die Shannon dorthin schaffte, wo sie ihn umgebracht haben. Ich wußte von nichts ..."

Ich unterbrach sie: „Mir ist es egal, wo Sie bleiben."

In dem Zimmer und dem ganzen Haus war es totenstill, als ob ein Haufen Leute vor der Tür lauerte und lauschte.

„Dorrs Plan war nicht schlecht. Lou war für ihn nur ein unbedeutender Einsatz. Er hatte sich das Spiel so gedacht, daß wir dadurch beide gleichzeitig kaltgestellt würden. Aber der Plan war zu verwickelt. Es waren zu viele daran beteiligt. Das geht immer schief und haut dann zurück."

„Lou wollte fort von hier", erklärte sie und raffte ihre Bluse zusammen. „Er hatte Angst. Er sah in dem Trick mit dem Roulette eine Art Abfindung."

„Wirklich?" meinte ich und nahm den Hörer auf. Ich verlangte das Headquarter der Polizei.

Wieder wurde die Tür aufgestoßen, und der Sekretär drang mit einer Waffe in das Zimmer ein. Hinter ihm kam ein uniformierter Chauffeur, gleichfalls eine Pistole in der Hand.

Sehr laut sagte ich in das Telefon: „Hier ist das Haus von Frank Dorr. Jemand ist erschossen worden ... "

Der Sekretär und der Chauffeur machten auf der Stelle kehrt. Aus der Halle hörte man schnelle Schritte. Ich drückte die Gabel nieder, rief die Redaktion des *Telegram* an und bekam von Ballin. Als ich ihm die Fakten knapp mitgeteilt hatte, war Miss Glenn durch das Fenster in den dunklen Garten verschwunden.

Ich lief ihr nicht nach. Ich hatte nichts dagegen, wenn sie entkam.

Ich versuchte, Ohls zu erreichen. Man sagte mir, er sei immer noch draußen in Solano, und dann wurde die Stille der Nacht von Sirenengeheul zerfetzt.

Es gab noch ein paar Schwierigkeiten, aber es war nicht sehr schlimm. Fenweather hatte zuviel Gewicht. Nicht alles kam heraus, immerhin genug, daß die Herren mit den Zweihundert-Dollars-Anzügen im Rathaus eine Zeitlang den linken Ellenbogen vors Gesicht hielten, wenn sie von weitem einen Fotografen sahen.

Pina griffen sie in Salt Like City auf. Sie machten ihn weich, und er nannte vier andere von Manny Tinnens Gang. Zwei wurden erschossen, als sie bei der Verhaftung Widerstand leisteten. Die beiden anderen bekamen lebenslänglich.

Miss Glenn verschwand spurlos, und ich habe nie wieder etwas von ihr gehört. Das wäre wohl alles, außer, daß ich die zweiundzwanzigtausend Dollars dem Treuhänder herrenloser Mittel ausliefern mußte. Er gestand mir zweihundert Dollars Honorar und neun Dollars zwanzig Cents Kilometergelder zu. Manchmal frage ich mich, was er wohl mit dem Rest angefangen hat.

Beachten Sie bitte die folgenden Seiten

Der Mann und das Mädchen gingen langsam eng nebeneinander unter einem trüb erleuchteten Schild mit der Aufschrift: „Surprise Hotel" vorbei. Der Mann trug einen violetten Anzug und einen Panamahut auf seinem glänzenden, glattgebürsteten Haar. Er ging mit weitgespreizten Füßen, geräuschlos.

Das Mädchen trug einen grünen Hut, einen kurzen Rock, reinseidene Strümpfe und zwölf Zentimeter hohe Absätze. Sie roch nach Mitternachtsnarzisse.

An der Ecke beugte der Mann sich zu ihr und flüsterte ihr ins Ohr. Kichernd machte sie sich los.

„Du mußt was zu trinken kaufen, Smiler, wenn du mich nach Hause bringen willst."

„Das nächstemal, Baby, ich bin gerade blank."

Die Stimme des Mädchens wurde schroff. „Dann kannst du dich an der nächsten Ecke verabschieden, Hübscher."

„Denk'ste, Puppe", antwortete der Mann.

Das Licht der Bogenlampe an der Kreuzung fiel auf die beiden. Weit voneinander getrennt überquerten sie die Straße. Auf der anderen Seite griff der Mann das Mädchen am Arm. Sie zerrte sich von ihm los.

„Bleib mir mit deinen Pfoten vom Leib, schäbiger Geizkragen", sagte sie schrill. „Schnorrer interessieren mich nicht. Hau ab!"

„Wieviel mußt du denn zu trinken haben, Baby?"

„Jede Menge."

„Und wo soll ich's herkriegen? Ich bin doch pleite!"

„Du hast doch Hände, oder nicht?" höhnte das Mädchen. Das Schrille aus ihrer Stimme verschwand. Sie schmiegte sich an ihn. „Vielleicht hast du auch einen Revolver, Süßer. Du hast doch einen?"

„Ja, aber keine Patronen drin."

„Das wissen doch die Angeber auf der Central nicht."

„Fang mir nicht damit an", knurrte der Mann in dem violetten Anzug. Dann schnippte er mit den Fingern und richtete sich auf. „Moment mal, mir kommt eine Idee."

Er blieb stehen und sah die Straße entlang, zu dem trüb erleuchteten Hotelschild zurück. Mit ihrem Handschuh gab das Mädchen ihm einen leichten, aufreizenden Schlag auf das Kinn. Von dem Handschuh stieg ihm der Duft ihres Parfüms in die Nase — Mitternachtsnarzisse.

Der Mann schnippte wieder mit den Fingern und grinste breit im Halbdunkel. „Wenn dieser Säufer noch bei Doc ist, dann kriege ich was. Wartest du auf mich?"

„Vielleicht zu Hause, wenn du nicht zu lange fortbleibst."

„Wo wohnst du, Baby?"

Das Mädchen blickte ihn an. Ihre vollen Lippen verzogen sich zu einem halben Lächeln, das in ihren Mundwinkeln wieder erstarb. Ein Windstoß wirbelte ein Zeitungsblatt aus der Gosse auf und wehte dem Mann gegen die Beine. Wütend trat er danach.

„Calliope Apartments, 4-B, 48ste Ost 246. Wann kommst du?"

Der Mann trat dicht an sie heran, griff zurück und klopfte sich auf seine Hüfte. Seine Stimme war leise und eiskalt. „Warte auf mich, Baby."

Sie hielt den Atem an und nickte. „Gut, Hübscher, ich warte."

Der Mann ging über den von Rissen durchzogenen Bürgersteig zurück, überquerte die Kreuzung, schlich an den Häusern entlang bis zu der Stelle, wo das Schild in die Straße hineinragte. Er trat durch eine Glastür in einen schmalen Vorraum, in dem eine Reihe harter brauner Holzstühle vor einer getünchten Wand stand. Es war gerade noch Platz genug, um an ihnen vorbei zum Empfangstisch zu kommen.

Hinter dem Tisch lungerte ein kahlköpfiger Farbiger und fingerte an einer Nadel mit einem großen grünen Stein in seiner Krawatte.

Der Neger in dem violetten Anzug beugte sich über den Tisch, und seine Zähne blitzten in einem harten, schnellen Lächeln auf. Er war sehr jung, hatte einen dünnen, scharfen Unterkiefer, eine schmale knochige Stirn und die ausdruckslos glänzenden Augen eines Gangsters. Leise fragte er: „Der Kerl mit der heiseren Stimme, ist der noch hier? Der, bei dem wir gestern gewürfelt haben?"

Der kahlköpfige Portier betrachtete die Fliegen, die um die Deckenleuchte schwirrten. „Ich habe ihn nicht fortgehen sehen, Smiler."

„Das hab' ich nicht gefragt, Doc."

„Ja, er ist noch da."

„Noch betrunken?"

„Nehme ich an. Er war noch nicht fort."

„3—49 war es doch?"

„Du warst doch oben, oder nicht? Was willst du von ihm?"

„Er hat mich ausgenommen bis auf meinen letzten Cent. Ich muß was wiederhaben."

Der kahlköpfige Farbige wurde nervös. Der Smiler betrachtete mit leuchtenden Augen den grünen Stein in der Krawatte des anderen. „Mach, daß du fortkommst, Smiler. So was wollen wir hier nicht. Wir sind kein Central-Avenue-Bums."

Sehr sanft sagte der Smiler: „Er ist mein Freund, Doc. Er wird mir einen Zwanziger leihen. Du kriegst die Hälfte ab."

Er streckte seine geöffnete Hand aus. Der Portier starrte einen langen Augenblick auf die Hand. Dann nickte er mürrisch, verschwand hinter einer Wand aus gehämmertem Glas und blickte scheu zur Eingangstür, als er langsam zurückkam.

Er streckte seine Hand über der Handfläche Smilers aus. Smiler schloß seine Finger um einen Hauptschlüssel und ließ ihn in eine Tasche seines billigen violetten Anzuges gleiten. Das plötzliche, strahlende Grinsen auf seinem Gesicht schien eiskalt.

„Sei vorsichtig, Doc, solange ich oben bin."

„Beeil dich", antwortete der Portier. „Manche Gäste kommen früh nach Hause.“ Er blickte auf die grüne elektrische Uhr an der Wand. Es war sieben Uhr fünfzehn. „Die Wände sind nicht sehr dick“, fügte er hinzu.

Der schlanke junge Bursche zeigte wieder seine blitzenden Zähne, nickte, ging geschmeidig durch den Gang zu dem halbdunklen Treppenhaus. Einen Fahrstuhl gab es im Surprise Hotel nicht.

Raymond Chandler

Bei aller Härte der Handlung zeichnen sich die Krimis dieses Amerikaners durch eine meisterliche Sprache aus. Ungemein farbige und zugleich knappe, prägnante Beschreibungen hinterlassen einen starken Eindruck. Chandler gilt als der ›Dichter‹ unter den Kriminalautoren. Große Literaten, wie J. B. Priestley und André Gide, sprachen Chandler ihre Bewunderung aus. Somerset Maugham sagte über ihn: »Ich sehe niemanden, der Raymond Chandler auch nur das Wasser reichen könnte. Er ist großartig.« Hauptfigur seiner Romane ist der Privatdetektiv Philip Marlowe, der unbeirrt auf eigene Faust für die Gerechtigkeit kämpft.